"十二五"国家重点图书出版规划项目

数学文化小丛书

李大潜　主编

数学与音乐

Shuxue yu Yinyue

周明儒

高等教育出版社·北京

图书在版编目（CIP）数据

数学与音乐 / 周明儒编 . —北京：高等教育出版社，2015.2
（2023.4 重印）
（数学文化小丛书 / 李大潜主编 . 第 3 辑）
ISBN 978-7-04-041856-9

Ⅰ. ①数… Ⅱ. ①周… Ⅲ. ①数学—普及读物 ②音乐—普
及读物 Ⅳ. ① O1-49 ② J6-49

中国版本图书馆 CIP 数据核字（2015）第 015185 号

项目策划	李艳馥	李 蕊					
策划编辑	李 蕊		责任编辑	蒋 青		封面设计	张 楠
版式设计	余 杨		插图绘制	宗小梅		责任校对	陈 杨
责任印制	存 怡						

出版发行	高等教育出版社	咨询电话	400-810-0598
社　　址	北京市西城区德	网　　址	
	外大街4号	http://www.hep.edu.cn	
邮政编码	100120	http://www.hep.com.cn	
印　　刷	中煤（北京）印务	网上订购	
	有限公司	http://www.landraco.com	
开　　本	787×960　1/32	http://www.landraco.com.cn	
印　　张	4.5	版　　次	2015年2月第1版
字　　数	80 000	印　　次	2023年4月第9次印刷
购书热线	010-58581118	定　　价	12.00 元

本书如有缺页、倒页、脱页等质量问题，请到所购图书销售部门联系
调换。

数学文化小丛书编委会

数学文化小丛书总序

整个数学的发展史是和人类物质文明和精神文明的发展史交融在一起的。数学不仅是一种精确的语言和工具、一门博大精深并应用广泛的科学，而且更是一种先进的文化。它在人类文明的进程中一直起着积极的推动作用，是人类文明的一个重要支柱。

要学好数学，不等于拼命做习题、背公式，而是要着重领会数学的思想方法和精神实质，了解数学在人类文明发展中所起的关键作用，自觉地接受数学文化的熏陶。只有这样，才能从根本上体现素质教育的要求，并为全民族思想文化素质的提高夯实基础。

鉴于目前充分认识到这一点的人还不多，更远未引起各方面足够的重视，很有必要在较大的范围内大力进行宣传、引导工作。本丛书正是在这样的背景下，本着弘扬和普及数学文化的宗旨而编辑出版的。

为了使包括中学生在内的广大读者都能有所收益，本丛书将着力精选那些对人类文明的发展起过重要作用、在深化人类对世界的认识或推动人类对世界的改造方面有某种里程碑意义的主题，由学有专长的学者执笔,抓住主要的线索和本质的内容,由浅入深并简明生动地向读者介绍数学文化的丰富内涵、数学文化史诗中一些重要的篇章以及古今中外一些著名数学家的优秀品质及历史功绩等内容。每个专题篇幅不长,并相对独立,以易于阅读、便于携带且尽可能降低书价为原则,有的专题单独成册,有些专题则联合成册。

希望广大读者能通过阅读这套丛书,走近数学、品味数学和理解数学,充分感受数学文化的魅力和作用,进一步打开视野、启迪心智,在今后的学习与工作中取得更出色的成绩。

李大潜

2005 年 12 月

前　　言

在人们的印象中，数学与音乐学是截然不同的两个学科。数学研究现实世界和数学的抽象世界中的数量关系、空间形式、运动变化、思维模式、社会行为等，音乐学研究音乐的本质及其规律；数学严谨、冷峻，音乐浪漫、激情；数学是科学、理性的，音乐是艺术、感性的；数学家求真，音乐家求美；数学定理是确定的，音乐形态是多变的。但只要作深入一点的了解和思考，人们就会发现，数学与音乐有着太多的联系。

音乐和数学有不同特点的时代印记，但相互促进、脉络相通；

对美的追求是数学和音乐共有的特征；

逻辑性、严密性、抽象性、符号化不仅是数学理论的特点，也是音乐理论的特点；

形象思维不仅是音乐家创造性工作的特色，也在数学家的创造性工作中必不可少；

数学语言没有国界，音乐也没有国界。

数学与音乐有着太多的联系，值得关注，值得研究。中国传统音乐博大精深，成就巨大，值得自豪，值得传承。但中国传统音乐没有能够像西方音乐一样在科学理论上更上一层楼的历史事实，也值得反思。

我是一个数学工作者和教师，音乐是业余兴趣之一，这本小册子，是我自学音乐理论结合数学的一些思考，抛砖引玉，不当之处请音乐界、数学界的专家和读者们指正；也期望通过本书的介绍能有更多的人喜欢数学和音乐，研究数学和音乐。

周明儒

2014 年 7 月

目　录

一、历史视角下的数学与音乐

在人类文明发展史上，数学和音乐都属于最早形成的学科，一个国家和地区数学和音乐的发展水平，与该国家和地区的社会生产发展及文明进步水平有着密切的关系；而音乐和数学之间又是密切关联的，音乐实践提出了大量的数学问题，诸如乐器设计、管口校正、音律制定、数制换算、声学原理等，促进了数学的研究，数学的成果又指导了音乐的实践，帮助了音乐理论的发展，二者互相促进，水涨船高。

古代中国音乐和数学领先世界

据已发掘的古代遗存证明，中国的音乐文化距今已有 9000 年。中国最早的乐器是 1984 年至 1987 年在河南**舞阳县贾湖新石器时代遗址的墓葬群**中出土的**骨笛**，它们是用鹤类动物的尺骨锯去两端关节钻孔而制成的。其中早期的 2 支骨笛，距今约 8600 年至 9000 年，一支开有 5 孔，另一支开有 6 孔，能奏出四声和完备的五声音阶；中期的 14 支骨笛，距今约 8200 年至 8600 年, 未残损的 12 支骨笛均为 7 孔, 能奏出六声和七声音阶; 晚期的 7 支骨笛, 距今约 **7800 年至 8200 年**, 完好的 3 支骨笛 2 支为 7 孔, 1 支为 8 孔, **能奏出完整的七声音阶和七声之外的一些变化音** (图 1)。

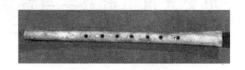

图 1 舞阳贾湖骨笛

1987 年 11 月, 音乐家黄翔鹏 (1927—1997) 等借助闪光频谱测音仪对贾湖骨笛进行了测音研究。他们选定了最完整、无裂纹的一支 7 孔骨笛进行了检测, 发现这支骨笛的音阶结构至少是六声音阶, 也有可能是七声齐备的、古老的下徵①调音阶, 发音清润柔美。音乐家萧兴华、徐桃英先生还利用这支骨笛吹奏了我国传统名曲 ——《小白菜》, 悠扬的音乐, 令在场的人激动不已。

1953 年发现的 **西安半坡仰韶文化遗址**, 出土了一枚距今 6700 年左右的一音孔陶埙, 音乐家吕骥对此陶埙进行了测音研究, 用音叉测得的音和用闪光测音机测定的结果证明, 当时的音阶与我们现在的五声音阶中的小三度音程接近; 此后, 甘肃等地出土的新石器时期的三音孔埙, 已有了宫、角、徵、羽四

---

① 徵 (zhǐ) 为古代五音宫、商、角、徵、羽之一, 相当于 sol。

音列, 接近了五声音阶, 为商、周时期的五声、七声音阶和十二律的建立奠定了基础; 1976 年从河南**安阳殷墟妇好**①**墓**出土的**五音孔埙**, 则显示**至少在晚商期间, 中国已经出现了完整的七声音阶**。已经在 11 个音间构成了半音关系, 只差一个音就能凑全 "十二律"。

1978 年, 在湖北省随县发掘了一座墓葬, 主人是 2400 年前战国初期曾国一位名乙的诸侯国君。在**曾侯乙墓葬**中出土了 7000 多件文物, 其中有钟、磬、琴、瑟、笙、箫、篪 (chí)、鼓等八种乐器。特别是共出土制作于公元前 433 年的**编钟** 64 件, 按大小和音高为序编成 8 组悬挂在 3 层钟架上。上层 19 件为 3 组钮钟, 中下两层共 45 件为甬钟, 中层 3 组, 下层 2 组。在下层甬钟的中间另有一件镈钟 (图 2)。

图 2　曾侯乙编钟

在古代, 其他国家的钟, 截面都是圆形的。由于圆钟周边曲率相等, 无论敲击何处只会发出一个声

---

① 妇好为商朝国王武丁之妻, 武丁在位时间是公元前 1250 — 前 1192 年。

音，特别是由于圆钟会将声音不断反射，敲击后声音衰减得慢，后一个音发出了，前一个音还在响，因而无法作为乐器演奏，通常在教堂和寺庙中用来发出活动信号，因此也就有了"晨钟暮鼓"之说和"夜半钟声到客船"的诗作。中国古代的编钟，绝大多数为椭圆形，即古人所说的"合瓦形"，这在世界上是独一无二的。

曾侯乙编钟的截面就是合瓦形，且边角有棱，声音衰减较快，所以能编列成组，作为旋律乐器使用。而且敲击曾侯乙编钟每个钟的正鼓和侧鼓部位，均可发出两个音，且每钟的两音构成三度音程关系，其中小三度的有 42 种，大三度的有 22 种。曾侯乙编钟的音色优美，音质纯正，基调与现代的 C 大调相同。音域宽达五个八度，中声部约占三个八度，由于有音列结构大致相同的编钟，形成了三个重叠的声部，几乎能奏出完整的十二个半音，可以奏出五声、六声或七声音阶的音乐作品，**是世界上已知的最早具有十二个半音关系的乐器**。

钟上共有音律和音乐术语铭文 2800 余字。除上层一组六件散钟只有音名外，其余各件均有律名共 28 个，分属曾、楚等六国。这些律名大都是十二律的不同名称，其中楚国已有全部十二个律名。由此可见，**春秋时期十二律名应已产生，到战国早期已经形成完整体系**。

更令世人惊讶的是，实测曾侯乙编钟得到的频率，与美籍德国著名音乐家欣德米特 (P. Hindemith, 1895—1963)《作曲指南》一书中"音序 I"的频率数据竟十分相近，"音序 I" 是根据泛音原理计算得到的，为世界公认 (参看 [1] 103—105)。

1978 年 8 月 1 日，沉寂了 2400 多年的曾侯乙编钟，重新向世人发出了它的千古绝响。编钟演奏从《东方红》开始，接着是中国古曲《楚殇》、外国名曲《一路平安》和中国民歌《草原上升起不落的太阳》，最后是《国际歌》。1984 年新中国成立 35 周年时，编钟进京，在中南海怀仁堂为各国驻华大使演奏了中国古曲《春江花月夜》《楚殇》以及《欢乐颂》等中外名曲。1997 年 7 月 1 日，在中英政府举行的香港政权交接仪式现场，来自世界各地的数千嘉宾，欣赏了由音乐家谭盾创作并指挥、用曾侯乙编钟复制件演奏的《交响曲 1997：天·地·人》，雄浑深沉的乐声，激荡人心，震撼寰宇。2008 年北京奥运会的颁奖音乐，是由曾侯乙编钟原声和玉磬声音交融产生的"金玉齐声"，中外观众在"金声玉振"的天籁之音中，见证了一枚枚奥运金牌的颁发。2010 年曾侯乙编钟又在上海世界城市博览会城市足迹馆展出，湖北编钟队演奏了世博会的主题曲《城市，让生活更美好》。

曾侯乙编钟的铸就，充分反映了在 2400 年前的战国初期，我国数学、物理学、声学和铸造学均具有世界领先的水平。

琴、瑟、琵琶和筝是中国古代四大弦乐器，先秦典籍记载的琴都是五弦，战国时期到西汉初年，古琴逐步演变，到汉魏之际已经定型为性能卓越的七弦琴，其史实有：曾侯乙墓出土的十弦、无徽琴，1993

年湖北荆门市郭店 1 号墓出土的战国中期的七弦琴以及 1973 年湖南长沙市马王堆三号墓出土的公元前 178 年西汉七弦琴。三国时魏末文学家、思想家与音乐家嵇康 (223—263) 在《琴赋》中有 "徽以钟山之玉"、"弦长故徽鸣" 之句，说明琴上已经有了标志音位的 "徽"。

中国古代的定型七弦琴，有七根弦，十三个徽。七根弦早期分别称为 "宫、商、角、徵、羽、少宫、少商" 或 "宫、商、角、徵、羽、文、武"；至隋、唐时期，逐渐改为 "一、二、三、四、五、六、七"(参看图 3)。一弦外侧的面板上所嵌的十三个圆点的标志，称为徽。徽多用螺钿制成，也有用金、银、玉、石等质地的材料精制而成。以右端岳山为 0，左端龙龈为 1，七徽位于中点 $\frac{1}{2}$ 处，一至六徽和八至十三徽关于七徽对称：一至六徽分别位于 $\frac{1}{8}, \frac{1}{6}, \frac{1}{5}, \frac{1}{4}, \frac{1}{3}, \frac{2}{5}$ 处；八至十三徽分别位于 $\frac{3}{5}, \frac{2}{3}, \frac{3}{4}, \frac{4}{5}, \frac{5}{6}, \frac{7}{8}$ 处。因此，徽的点位实为弦的泛音振动节点，自然而成，其音律为

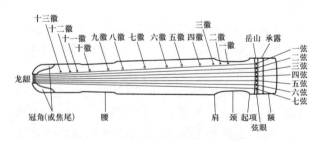

图 3　中国古琴琴面结构示意图

6

纯律。在按音弹奏时徽则作为按音音准的参考，徽不仅是为了便于演奏和调弦，更重要的是作为音位的坐标用于记谱。由此可见，**在公元 4 世纪之前，中国古琴已经正式应用了纯律音阶**。

骨笛和埙开孔位置的确定、编钟的铸造、古琴的设计等，既须经验的积累，也应有数学的考量。中国至少在公元前 1250 年左右的商朝晚期就已经出现了完整的七声音阶；收编、记录春秋时期齐相管仲(公元前 ?—前 645) 及其学派思想言行的《管子》一书中，则阐明了确定音律的**三分损益法**；公元前 500年左右，中国已有了严格的十进位值制筹算记数，使精细计算成为可能；现存中国古代最早的数学著作《周髀算经》和《九章算术》分别成书于公元前 2 世纪和公元前 1 世纪，而**京房六十律**与**何承天新律**分别制定在公元前 1 世纪和公元 1 世纪；宋元时期中国传统数学达到了世界领先的水平，珠算研究与应用在明代达到巅峰，朱载堉 (1536—1611) 则在 1581年创立了当今世界通用的**十二平均律**。音乐和数学在几千年的发展中，一直互相促进内在关联。

近代欧洲数学和音乐后来居上

西方音乐源于古希腊文明，现存的古希腊音乐史料极少。最先以理论的方式来解释音乐现象的古希腊哲学家和数学家毕达哥拉斯 (约公元前 580 年—前 500 年)，创立了音律的**五度相生法**。从公元前 1 世纪罗马帝国建立到 14 世纪，欧洲主要是宗教音乐。6 世纪末，罗马天主教皇格里高利一世为了宗教利益，着手统一各地教会的仪式和圣歌演唱，8世纪欧洲成了无伴奏单声部**格里高利圣咏**的一统天下。9 世纪开始，圣咏逐步发展为多声部复调音乐，13 世纪得到广泛使用，同时管风琴成为教堂唯一的伴奏乐器；15、16 世纪文艺复兴，世俗音乐突破宗教音乐的垄断蓬勃发展，1517 年德国马丁·路德领导宗教改革，**新教**①音乐用母语代替了拉丁语演唱圣歌；从歌剧在意大利诞生的 1600 年到巴赫 (S. Bach, 1685—1750) 去世的 1750 年史称 "巴洛克时期"②，复调音乐全盛发展并向主调音乐③转型，数字低音创作方法④导致了和声学的诞生，进而促使了大小调体系的产生和教会调式的结束。

文艺复兴大大推动了文学艺术、数学和自然科学的发展，到 16 世纪，五线谱记谱法得以完善；1665 年法国天主教神父 J. J Souhaitty 首创数字简谱⑤，促进了音乐在民间的推广；音乐实践中提出的和声、和弦等众多理论问题，推动了数学家、物理学家们的科学研究。17 世纪初意大利科学家伽利略 (Galileo Galilei, 1564—1642) 首先开始运用科学的方法研究

① 我国称为基督教。

② 音乐风格的时间划分参考 [8]。

③ 主调音乐是多声部音乐的一种，整部作品的进行以其中某个声部，多数是以高音部的旋律为主，其他声部以和声或节奏等陪衬、伴奏。

④ 作曲时只写旋律和低音并在低音旁用数字标明该音在和弦中的位置。

⑤ 数字简谱后经数学教师 P. Galin 等整理，19 世纪在欧洲流行，传到日本后经李叔同 (弘一大师，1880—1942) 引进我国。

单弦的振动和发声的关系。17 世纪微积分创立, 其后近 300 年间, 欧洲数学处于世界领先水平, 一代代数学家和物理学家对有关声学的基础理论做了深入的研究。英国数学家牛顿 (Newton, 1643—1727)、泰勒 (Taylor, 1685—1731)、瑞士数学家伯努利 (Daniel Bernoulli, 1700—1782)、欧拉 (Euler, 1707—1783) 和法国数学家达朗贝尔 (d'Alembert, 1717—1783), 深入研究了弦振动的规律; 法国数学家拉格朗日 (Lagrange, 1736—1813) 研究了风琴管和其他管乐器; 法国数学家傅里叶 (Fourier, 1768—1830) 对三角级数的研究成果, 揭示了乐音的本质; 法国数学家泊松 (Poisson, 1781—1840) 研究了膜振动和三维声波; 德国物理学家亥姆霍兹 (H. Helmholtz, 1821—1894) 研究了管口的空气振动; 英国物理学家麦克斯韦 (Maxwell, 1831—1879) 利用微分方程组预见了电磁波的存在, 为音乐的远距离传播打开了大门; 1900 年, 美国物理学家赛宾 (W. C. Sabine, 1868—1919) 从理论上解决了混响问题, 等等, 这一系列工作阐明了声音的产生和传播的规律, 给音乐学的理论、乐器的制作、音乐的创作与传播提供了精确的理论基础, 西方音乐的发展也达到了世界领先水平。

音乐和数学不同特点的时代印记

数学和音乐的发展都有时代的印记, 但又有显著的不同特点。

数学的发展主要与社会生产力的发展有关, 同时也在克服数学体系内部出现的矛盾中前进。初等数学是东西方古代文明的结晶；解析几何和微积分诞生在资本主义生产方式萌发的 17 世纪；19 世纪纯粹数学的深入发展是为了解决涉及数学基础的理论"危机"；第二次世界大战促进了应用数学的蓬勃发展；新兴的混沌动力学和分形几何学创立在使用大规模集成电路计算机的 20 世纪 70 年代，等等。另外值得注意的是，古往今来数学的发展，不是后人摧毁前人的成果，而是每一代人都能在旧建筑上增添一层楼。从自然数 — 整数 — 有理数 — 实数 — 复数，虽然数系不断扩张但原来数系中的运算规律仍然有效；从欧几里得几何 — 罗巴切夫斯基非欧几何 — 黎曼非欧几何，并不是后一种几何对前一种几何的否定，而是它们分别反映了零曲率空间、负曲率空间、正曲率空间的客观规律。

与数学的发展有所不同，音乐的发展不仅具有更加鲜明的时代烙印，还有着鲜明的民族、社会特征，并且新的音乐形式常常是将原来的形式彻底改变。

一统欧洲数百年的宗教音乐，随着资本主义生产方式的发展，到 18 世纪已经衰败。近两百多年来，西方出现了形形色色的音乐流派，它们都有着深刻的时代烙印和民族社会特征。

18 世纪初从法国兴起继而遍及欧洲的"启蒙运动"，批判专制主义、宗教愚昧和封建特权，倡导理性、自由、平等和民主，促进了音乐的变革与发展。1750—1820 年间的**西方音乐古典主义时期**，音乐从教堂、宫廷走向市民阶层，复调音乐转向主调音乐,数字低音方法被明确的乐器记谱取代,音乐挣脱了对神和君主的依恋,追求自然界的美,音乐的重心也转变为新型的器乐体裁:交响曲、协奏曲、奏鸣曲和四重奏。在这一时期涌现了一大批脍炙人口的传世佳作,如维也纳古典乐派的海顿 (F. J. Haydn, 1732—1809) 健康明快、充满生机的四重奏《云雀》、清唱剧《创世纪》等;莫扎特 (W. A. Mozart, 1756—1791) 优美深情的歌剧《费加罗的婚礼》、《魔笛》等;"乐圣"贝多芬 (L. v. Beethoven, 1770—1827) 的第三、五、六、九交响曲:《英雄》《命运》《田园》《合唱》,钢琴奏鸣曲《悲怆》《月光》《暴风雨》等。贝多芬在其创作的各个领域融入了人文主义情怀,旋律简洁、深邃、热情、雄伟,他的作品不仅将古典主义音乐推向了巅峰,还开创了浪漫主义音乐的先河。

　　法国资产阶级革命失败,欧洲大陆封建复辟,人们对现实普遍感到失望,对自由、平等、民主不抱幻想,表现在音乐上形成了 1790—1910 年间的**浪漫主义时期**。作品强烈张扬个人情感和主观体验,民族乐派纷纷形成,音乐体裁打破了古典音乐程式化的限制,曲式结构和表现手法都有革新和突破。"艺术歌曲之王"奥地利作曲家舒伯特 (F. Schubert, 1797—1828) 的歌曲《魔王》《鳟鱼》;德国作曲家"抒情风景画大师"门德尔松 (F. Mendelssohn, 1809—1847) 的交响曲《仲夏夜之梦》,瓦格纳 (R. Wagner, 1813—1883) 的歌剧《尼伯龙根的指环》,勃拉姆斯 (J. Brahms, 1833—1897) 的声乐《摇篮曲》,"圆舞曲之父"老约翰·施特劳斯 (J. Strauss, 1804—1849) 的管弦乐《拉德斯基进行曲》和"圆舞曲之王"小约翰·施特劳斯(J. Strauss, 1825—1899) 的管弦乐《蓝色多瑙河》;法国作曲家柏辽兹 (L. H. Berlioz, 1803—1869) 的《幻想交响曲》《罗密欧与朱丽叶》;波兰"浪漫主义钢琴诗人"肖邦 (F. Chopin, 1810—1849) 的 A 大调波兰舞曲《军队》;匈牙利钢琴家、作曲家李斯特 (F. Liszt, 1811—1886) 的交响诗《塔索》、钢琴曲《匈牙利狂想曲》;俄国作曲家柴可夫斯基 (П. И. Чайковский, 1840—1893) 的芭蕾舞剧《天鹅湖》《睡美人》等佳作,历久弥新常演不衰。

20 世纪出现了各种新思潮新流派,音乐家们突破传统审美模式,探索新奇创作手段,多元风格并存。以法国作曲家德彪西 (A. C. Debussy, 1862—1918) 等为代表的**印象主义音乐**,多以自然景物、诗歌绘画为题材,旋律失去主导地位,追求音乐的色彩和朦胧意境;以奥地利作曲家勋伯格 (A. Schoenberg, 1874—1951) 等为代表的**表现主义音乐**,主张要表现个人的思想本质和内在灵魂,他们用不连贯的旋律、无规律的节拍、不和谐的音响来表现现实社会的动荡不安、恐怖、苦难和内心感受;以美籍俄国作曲家斯特拉文斯基 (I. Stravinsky, 1882—1971) 等为代表的**新古典主义音乐**,提出"返回巴赫"的主张,提倡纯音乐,追求旋律、节奏的均衡对称,但音乐语言采用扩张调性甚至无调性技法,常带有不协和的音响;以匈牙利著名作曲家巴托克 (B. Bartók, 1881—1945) 为代表的**新民族主义音乐**,关注民间音乐本身的内涵,强调吸收民间音乐固有的特征和规律, 按照民间调式、音阶、节奏进行写作; 以捷克作曲家哈巴 (A. Hába, 1893—1973) 为代表的**微分音音乐**, 用小于半音的 "微分音" 进行创作; 美籍法国作曲家瓦雷兹 (E. Varèse, 1883—1965), 把音乐的 "乐音" 概念扩大到自然界的所有 "声音" 范畴, 超越了传统的作曲技法, 音乐构思的起点, 不是和声、旋律和曲式而是 "音"; 19 世纪 50 年代以后, 还出现了追求音乐的不确定性, 即兴表演音乐内容, 以获得偶然音响效果的**偶然音乐** (chance music); 通过在传统乐器上使用特殊的演奏方法以构成新型音乐语言的**新音色音乐**。此外还有布鲁斯、爵士乐、摇滚乐等多种形式的**流行音乐**。

20 世纪 50 年代产生的**电子音乐**是音响音源的一次革命。传统音乐是采用共鸣体自然发声的声音进行创作, 电子音乐的作曲和演奏都是采用电子手段, 是音乐艺术和现代电子技术相结合的产物。作曲家可以利用计算机的模拟数字转换功能, 对直接从外界采录的、由电子振荡器产生的、以及用数字手段合成的各种声音进行处理, 并对音色、力度、节奏等音乐参数进行严密的控制, 整个创作可以不受乐器和演奏者的限制。

当代音乐是多元并存的世界, 这也是当代社会发展多元化的时代特征。

数学和音乐相通共襄的发展脉络

然而, 值得注意的是, 音乐与数学的发展脉络是相通的。

西方文艺复兴理性回归、启蒙运动思想解放、资本主义产生发展的 300 多年间, 出现了音乐的巴洛克时期、古典音乐时期和浪漫主义时期, 这也正是变量数学产生、高等数学迅速兴起和纯粹数学蓬勃发展的时期, 音乐和数学在风格上有着一些相似的特征, 数学则阐明了声学的基础, 揭示了乐音的本质, 并为音乐的远距离传播打开了大门。

20 世纪在世界政治、经济、社会、思想与文化多元化发展的大背景下, 音乐出现了各种新思潮、新流派, 其中一些流派, 突破了传统音乐的模式, 包括乐音与噪音、和谐与不和谐、大小调、十二平均律等已经深入人心、成为定势的理论; 数学也形成了很多崭新的分支, 特别是数学内部各分支之间以及数学和其他学科之间的交叉渗透, 也突破了经典理论关于确定与随机、精确与模糊、有序与无序等传统概念之间的鸿沟。与此同时, 数学对音乐的基础性贡献以及对音乐理论研究的帮助依然如故。

20 世纪出现了与传统的调性 (大小调) 音乐截然不同的所谓**无调性音乐** (atonal music), 如 20 年代产生的以勋伯格为代表的**十二音体系** (twelve-note system) 音乐, 40 年代法国作曲家梅西昂 (O. Messiaen, 1908—1992) 等人的**序列音乐** (serialism music) 等。十二音体系是预先设置十二个半音的基本音列 (记为 BS 或 B), 并以原型 (P) 及三种变形: 逆行 (R), 倒影 (I), 逆行倒影 (RI) 作为基本素材进行创作。十二个半音地位平等, 每一个音必须在其余 11 个音都出现之后才能重复, 避免三和弦, 且四度、五

14

度音程和三全音音程尽可能只用一次。而序列音乐则进一步拓宽了十二音体系音乐形式，不仅在音高上采用序列手法，而且将节奏、力度、音色等也按照序列编排，然后这些序列以变化形式在全曲中重复。这种音乐在创作时要求极精确的计算，演奏中又需要极清醒的控制，许多著名的序列音乐作曲家同时又是数学家。对于十二音体系和序列音乐等无调性音乐，美国著名音乐理论家阿伦·福特 (Allen Forte, 1926—) 以集合论的观点做了系统的研究，1973 年出版了 The Stucture of Atonal Music①，全面系统地提出了**音级集合理论**，用数学集合论的观点、方法和语言，系统研究了各种音高、音程组合构成的音级集 (pitch class set) 以及它们之间的关系，为研究大规模音乐结构提供了有力工具；美国音乐家、数学家巴比特 (M. Babbitt, 1916—2011) 则用组合数学观点论述了十二音和声、旋律和节奏组织的功能。1965 年波兰裔美国控制论专家扎德 (Lotfi A. Zadeh, 1921—) 创立模糊数学，有些学者又运用模糊数学的观点、工具、方法和语言提出了**模糊音级集合**的概念，对既不属于调性音乐又非无调性音乐，而是调性模糊的音乐进行了研究。

20 世纪 20 年代，具有较高数学素养的乌克兰裔美籍音乐家希林格 (J. Schillinger, 1895—1943) 提出了一种**数学作曲体系**，将音乐的各种要素 (节奏、音阶、旋律、和声、和声的旋律化、对位、密度、力度、

---

① 《无调性音乐的结构》，罗忠镕译，上海音乐出版社，2009。

音色及发声法)作为数学参数,先确定其中某个要素作为主要部分,然后将其他要素结合进去构成主题,再结合语义学的要求,通过纯数学方法构成曲式和作品。20世纪50年代开始出现**计算机音乐**,将数字化的音乐元素,借助计算机,施以各种数学手段,诸如排列、组合、对称、变换、积分、按概型处理、统计分析等,进行音乐创作和对音乐作品的技法与风格进行分析研究,既为音乐的发展也为数学的应用开辟了新的天地。

从对音乐和数学发展历史的回顾中,我们粗略地看到了它们之间的关系,下面我们将进一步从基础乐理、音律学、声音产生与传播的规律、乐音的本质等方面作数学的解读和分析,最后从理念与思维的角度谈谈数学与音乐的关系。

二、基础乐理简介与数学解读

著名数学家莱布尼茨 (Leibniz, 1646—1716) 曾经指出："**音乐，就它的基础来说是数学的，就它的出现来说，是直觉的**"。近代美籍俄国作曲家斯特拉文斯基也说："**音乐的形式较接近于数学而不是文学，音乐确实很像数学思想与数学关系**"。为了理解数学与音乐的联系，我们先通过钢琴简要介绍一点乐理基础知识，然后再作数学的解读。有关概念主要参考 [10]。

音级与钢琴键盘

基本音级是以 CDEFGAB 七个英文字母命名的音，七个英文字母即我们理解的**音名**，它们的**唱名** (发音) 分别为 do (多) re (来) mi (米) fa (发) sol (索) la (拉) si (西)，也有将 B 发音为 ti (替)。在简谱中相应的就是 1, 2, 3, 4, 5, 6, 7。钢琴的一组键盘有 12 个键，7 个白键 5 个黑键，白键自左到右依次为 CDEFGAB (图 4)。

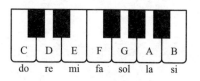

图 4 一组键盘

现在通用的钢琴有 88 个键 (完整的七组共 84 个键, 加上左端的 2 个白键 1 个黑键和右端的 1 个白键, 共有 52 个白键, 36 个黑键), 为了区分属于基本音级、音名相同而音高不同的音, 将它们分成了 9 组, 6 组用小写字母表示, 3 组用大写字母表示, 具体分组及各组音级的英文记号如图 5 所示。其中, 小字一组靠近钢琴键盘中央 (钥匙孔), a^1 是通常讲的**标准音**, 频率为 440 Hz (赫兹), 乐器制造、定音都以此为准。c^1 是通常所说的**中央 C**, 频率为 261.63 Hz。

图 5 钢琴键盘分组与记号

钢琴上相邻的两个琴键 (包括黑键) 构成**半音**, 为 100 **音分**; 隔开一个琴键的两个键构成**全音**, 为 200 **音分**。两个相邻的白键, 除 E—F (mi—fa) 以及 B 和下一组的 C (si—do) 是半音关系外, 其余的中间都有一个黑键, 所以都是全音关系。从 C 到 C 共 1200 音分, 半、全音关系如下:

$$C \overset{\text{全}}{—} D \overset{\text{全}}{—} E \overset{\text{半}}{—} F \overset{\text{全}}{—} G \overset{\text{全}}{—} A \overset{\text{全}}{—} B \overset{\text{半}}{—} C。$$

将基本音级升高或降低而得到的音，叫做**变化音级**。升号#表示升高半音；降号 b 表示降低半音。例如 c, d 之间的黑键比 c 高半音，比 d 低半音，可记作 #c (升 c)，也可记作 ^{b}d (降 d)。重升号 X 表示升高一个全音；重降号 bb 表示降低一个全音。例如，^{X}G 实际音为 A，^{bb}G 实际音为 F。还原号 ♮ 表示将升、降音级还原为基本音级。

在经典音乐理论中，调号改变会使音级发生变化，但七个音依次构成的全音半音关系都是"全全半全全全"，两组音级连接处的两个音都是半音关系。例如后面将介绍的 G 调 (参看图 11)，在变化音级 GABCDE#F 中，do = G, re = A, mi = B, fa = C, sol = D, la = E, si = #F，其中 mi 与 fa (B 与 C) 是半音关系；la 与 si (E 与 #F) 是全音关系。这里 F 必须升高半音，否则就不符合 la—si 的全音关系。

钢琴键盘上 9 组键的上述标记法是我国现在通用的，另一种标记法都用大写字母，自左至右依次以下标 0, 1, ⋯ , 8 表示 (如 [2])。两种记法对应如下：

$A_2B_2 \ C_1 \cdots B_1 \ C \ \cdots B \ \ c \ \ \cdots b \ \ c^1 \cdots c^2 \cdots c^3 \cdots c^4 \cdots c^5$

$A_0B_0 \ C_1 \cdots B_1 \ C_2 \cdots B_2 \ C_3 \cdots B_3 \ C_4 \cdots C_5 \cdots C_6 \cdots C_7 \cdots C_8$

其中，中央 C 为 C_4，标准音为 A_4。我们称这种记法为**音名的统一下标记法**。在此记法中升降号记在音名的右边，如 #c^1 记作 $C_4^{\#}$，^{b}b 记作 B_3^b，#F 记作 $F_2^{\#}$。

19

五 线 谱

五线谱中的五条线,由下而上依次称为一线、二线、三线、四线、五线,两条线之间的空隙称为**间** (图 6)。五条线、四个间,共有九个音位,用不同时值的音符记在不同的音位上,来记录声音的高低和长短。

常用的**音符**和相应的符号如表 1:

表 1　常用音符和相应的符号

全音符	二分音符	四分音符	八分音符	十六分音符	三十二分音符
○	♩ 或 ♩	♩ 或 ♩	♪ 或 ♪	♫ 或 ♫	♬ 或 ♬

音符中的椭圆形圈称为**符头**。这些音符所表示的时值,前者依次是后者的两倍。例如在四二 $\left(\dfrac{2}{4}\right)$ 拍子中,每小节共 2 拍,四分音符唱一拍,二分音符唱两拍,八分音符唱半拍;而在八三 $\left(\dfrac{3}{8}\right)$ 拍子中,每小节共 3 拍,八分音符唱一拍,四分音符唱两拍。

音的高低,根据音符的符头所在的位置而定。当九个音位不够用时,可以在五条线的下方或上方加线。下方的加线由上而下依次称为下加一线、下加二线等,依次形成下加一间、下加二间等;上方的加线由下而上依次称为上加一线、上加二线等,依次形成上加一间、上加二间等 (图 6)。

五线谱上音的准确高度和名称,是由**谱号**来定的。现今的谱号有三种:高音谱号、低音谱号和 C 谱号。

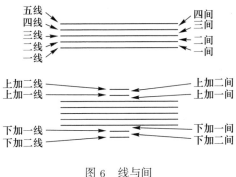

图 6　线与间

高音谱号代表 g^1，又称 **G 谱号**，记在二线上，这条线上的音就是 g^1。这类谱表叫做**高音谱表**。在高音谱表中，下加一线为 c^1，五线为 f^2（图 7）。

图 7　高音谱号与高音谱表

低音谱号代表 f，又称 **F 谱号**，记在四线上，这条线上的音就是 f。这类谱表叫做**低音谱表**。在低音谱表中，一线为 G，五线为 a（图 8）。

图 8　低音谱号与低音谱表

C 谱号代表 c^1，记在五条线的哪一条线上，这条线上的音就是 c^1，并有相应的名称。例如，记在三线上, 就叫 C 三线谱表, 等等 (图 9)。

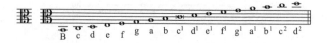

图 9　C 三线谱号与 C 三线谱表

用得最多的是高音谱表, 其次是低音谱表, 再次是中音谱表即 C 三线谱表。高音谱表和低音谱表结合在一起构成一个大谱表 (图 10)。

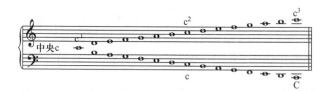

图 10　大谱表

音程与和弦

两个音的结合叫**音程**, 三个及三个以上音的结合称为**和弦**。

音程的两个音中, 音高较低的称为**根音**, 较高的称为**冠音**。

由基本音级构成的音程, 叫**基本音程**。

音程的**度数**, 是其包含的基本音级的个数, 也就是根音和冠音在五线谱上所跨越的线与间的总数。例如 C—E 包含 CDE 三个音级, 是三度, 它跨越两线一间; c—e 也为三度, 它跨越两间一线 (参看图 8)。

音程的**音数**, 是其所含全音的个数 (半音以 $\frac{1}{2}$ 计数)。如 C—D 含一个全音, 音数为 1; E—F 含一个半音, 音数为 $\frac{1}{2}$; D—F 含一个全音和一个半音, 音数为 $\frac{3}{2}$。

所有同名音 (实为一个音, 音数为 0) 都是一度, 也称纯一度。

相邻各组的同名音都是八度, 如 C—c, 包含 CDEFGABc 共八个音级。八度也称纯八度, 含 5 个全音 2 个半音, 音数为 6。

C—D 和 E—F 都是二度, 但 C—D 中间夹着一个黑键 (音数为 1), 而 E—F 两键相邻 (音数为 $\frac{1}{2}$), 为区别起见, C—D 称为大二度, E—F 称为小二度。

三度、六度、七度音程, 也有大小之分。

四度音程, 有纯四度和增四度之分, 纯四度音数为 $\frac{5}{2}$, 如 C—F; 增四度音数为 3, 如 F—B。

五度音程, 有纯五度和减五度之分, 纯五度音数为 $\frac{7}{2}$, 如 C—G; 减五度音数为 3, 如 B—f。

上述音程统称为**自然音程**, 由其中的大 (小) 音程和纯音程增加 (减少) 半音, 就成为增 (减) 音程, 统称**变化音程**。例如, 小七度 (含 10 个半音) 减少 1 个半音就是减七度 (含 9 个半音), 减少 2 个半音就是倍减七度 (含 8 个半音)。

三和弦是按照三度音程关系叠置的三个音构成的和弦。三个音由低到高分别称为根音、三音、五音, 用数字分别标记为 1, 3, 5。

七和弦是按照三度音程关系叠置的四个音构成

的和弦。四个音由低到高分别称为根音、三音、五音、七音, 用数字分别标记为 1, 3, 5, 7。

关于音程与和弦的分类, 后面我们从数学的角度给予归纳。

调 与 调 式

C 调就是 C = do, G 调就是 G = do。由七个基本音级构成的称为 **C 调** (又称**基本调**), 此外还有 7 个**升号调**和 7 个**降号调**。

在五线谱中, 通常用谱号来明确哪个音级为 do。例如:

图 11

其中升号位于五线 (F) 所在的位置, 即 F 升高为 #F, 该调为 G 调。前已说明, 为了保持七个音级间 "全全半全全全" 的关系, 应将 F 升高为 #F。

15 个调和相应的调号如图 12 所示, **C 调 (基本调) 不带升、降号**。

升号调, 最后一个升号所在位置的音名发音为 si, 升高一度即调号音名, 只是需要注意 F 为 #F 调, C 为 #C 调。

例如曲谱 1 (图 13), 最后一个升号位于四线 (D), 升高一度为 E, 即 do = E, 所以是 E 调。

降号调, 除只有一个降号的为 F 调外, 倒数第二个降号所在位置的音名附以降号, 即为调号音名。

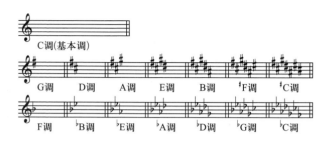

图 12　15种调号

图 13　曲谱1

例如曲谱 2 (图 14)，倒数第二个降号位于三线 (B)，所以该曲为 ♭B 调。

图 14　曲谱2

几个音按照音程、稳定与不稳定等关系结合在一起的体系称为**调式**。

大 (小) 调，是由七个音构成的调式，其中稳定音组成大 (小) 三和弦。最稳定的一个音，称为**主音**，通常乐曲的结束音都是主音。调式名称中的第一个字母就是主音名，例如 C 大调的主音为 C，a 小调的主音为 a 等。

大、小调都有自然、和声、旋律三种，大调中最常用的是自然大调；三种小调都被广泛应用，但自然小调是基本形态。

结束音为 do, 七个音都重要的称为自然大调式; fa 和 si 偶尔出现的, 称为七声宫调式。如《我爱北京天安门》是 C 自然大调,《北京颂歌》是 F 自然大调。

结束音为 la, 七个音都重要的称为自然小调式; fa 和 si 偶尔出现的, 称为七声羽调式。如《喀秋莎》为 G 调, 主音 la = E, 因此是 e 自然小调式;《让我们荡起双桨》为 ♭E 调, 主音 la = C, fa 和 si 偶尔出现, 因此是 C 七声羽调式。

只有五个音级出现, 结束音分别为 do、re、mi、sol、la 的, 依次称为五声宫、商、角、徵、羽调式。如《天路》是 ♭E 调, C 五声羽调式。

音码与约定

乐理中的一些基本问题可以从数学的角度得到解释, 并且更简单明了。

在以后的讨论中, 我们将音名 C、D、E、F、G、A、B 分别与数 1、2、3、4、5、6、7 对应, 特称这些数为**音码**。

音码不同于数字简谱里作为唱名记号的数字, 它们可以如同整数进行数学运算, 但是约定: **如果没有特别说明, 在以后的运算中, 所有模 7 同余的数看作是同一个数,** 即如果数 m 和 n 之差能被 7 整除, 则把它们看作是同一个数。例如 8 相当于 1, -3 相当于 4。为了方便起见, 我们用 "~" 表示 "相当于", 记作 $8 \sim 1, 4 + 4 = 8 \sim 1, 1 - 4 = -3 \sim 4$ 等。

音程度数的计算和音程分类

音程英文为 interval, 在数学里就是**区间**。音程度数相当于区间的长度, 可按如下公式计算:

音程度数 = (冠音音码 − 根音音码) + 1 +
音程跨越八度的个数 × 7。

例如 re(2)—fa(4) 在同一个八度内, 其度数 = $4 - 2 + 1 = 3$;

d—g^1 跨越 1 个八度, 其度数 = $(5 - 2) + 1 + 7 = 11$;

A—f^2 跨越 3 个八度, 其度数 = $(4 - 6) + 1 + 3 \times 7 = 20$。

如果采用**音名的统一下标记法**, 则有如下计算公式:

音程$X_j Y_k$度数 = (Y的音码 − X的音码) +
$1 + (k - j) \times 7$。

例如 $D_3 G_4$ 度数 = $(5 - 2) + 1 + (4 - 3) \times 7 = 11$;

$F_2 C_8$ 度数 = $(1 - 4) + 1 + (8 - 2) \times 7 = 40$。

关于自然**音程的分类**, 我们用半音的个数代替音数, 可归纳如表 2:

因为 1 个半音相当于 100 音分, 由表 2 可清楚地知道各类**音程的音分值**。

表 2 自然音程的分类

音程名	纯一度	小二度	小三度	纯四度	减五度	小六度	小七度	纯八度
半音数	0	1	3	5	6	8	10	12
包含黑键		0	一	二	二	三	四	五

音程名		大二度	大三度	增四度	纯五度	大六度	大七度	
半音数		2	4	6	7	9	11	
包含黑键		一	二	三	三	四	五	

和弦的数学表示

和弦可以用数字序列来表示, 其中的数字是音程所含半音的个数, 大三度音程为 4, 小三度音程为 3, 大七度音程为 11, 小七度音程为 10, 八度音程为 12。

三和弦的数学表示是将根音 → 三音 → 五音 → (根音) 的三个音程写成一个数字序列, 三个数之和为 12(因为根音 → 根音为八度)。

例如, (4, 3, 5) 为大三和弦 (4 表示根音 → 三音为大三度; 3 表示三音 → 五音为小三度; 即大三度加小三度。添上 5 后, 三数之和为 12)。类似的有:

(3, 4, 5) 为小三和弦 (小三度加大三度);

(3, 3, 6) 为减三和弦 (小三度加小三度);

(4, 4, 4) 为增三和弦 (大三度加大三度)。

七和弦的数学记号是将根音 → 三音 → 五音 → 七音 → (根音) 的四个音程写成一个数字序列, 四个数之和为 12。

例如, (4, 3, 3, 2) 为**大小七和弦** (4, 3 表示从根音到五音构成大三和弦; 4, 3, 3 三数之和为 10, 故从根音到七音是**小七度**; 添上 2 使得四数之和为 12)。类似的有

(4, 3, 4, 1) 为大大七和弦 (大三和弦; 大七度);

(3, 4, 3, 2) 为小小七和弦 (小三和弦; 小七度);

(3, 3, 4, 2) 为减小七和弦 (减三和弦; 小七度);

(3, 3, 3, 3) 为减减七和弦 (减三和弦; 减七度),

减减七和弦又称减七和弦, 小小七和弦又称小七和弦, 大大七和弦又称大七和弦。

音分的概念与计算

为什么音乐理论中说 "**音分**是一个用于度量音程的**对数标度单位**"? 知道两个音的频率, 如何计算它们的音程是多少音分? 知道了一个音程的音分值以及其中一个音的频率, 如何计算另一个音的频率? 这些问题可从以下分析得到回答。

因为一个八度音程为 1200 音分, 对应了 1200 个音, 它们的频率值构成一个等比数列, 而八度音程冠音与根音的频率比为 2, 所以 1200 个音构成一个公比为 $\sqrt[1200]{2} = 2^{\frac{1}{1200}}$ 的等比数列。

因此, 如果已知音 M 的频率为 m, 音分值为 k; 音 N 的频率为 n, 音分值为 l, 则有

$$\frac{m}{n} = 2^{\frac{k}{1200}} \div 2^{\frac{l}{1200}} = 2^{\frac{k-l}{1200}}, \tag{1}$$

$$m = n \times 2^{\frac{k-l}{1200}}, \tag{2}$$

$$k - l = 1200 \log_2 \left(\frac{m}{n}\right) \approx 3986 \log_{10} \left(\frac{m}{n}\right) 。 \tag{3}$$

公式 (2) 可用来计算频率, 例如已知标准音 a^1 的频率为 440 Hz, c^1 (中央 C) 与 a^1 的音程为 900 音分, 由 (2) 式 (注意 $k - l = -900$) 可知 c^1 的频率为

$$440 \times 2^{-\frac{900}{1200}} \approx 261.6255653 \ (\text{Hz})。$$

公式 (3) 可用来计算音程的音分值。例如, 两个音的频率比为 $9 : 8$, 由

$$1200 \log_2 \frac{9}{8} = 1200(2 \log_2 3 - 3) \approx 203.91,$$

可知它们的音程约合 204 音分; 如果频率比为 $256 : 243 = 2^8 : 3^5$,

$$1200 \log_2 \frac{2^8}{3^5} = 1200(8 - 5 \log_2 3) \approx 90.225,$$

故音程约合 90 音分: 如果频率比为 $3^7 : 2^{11}$, 则约合 114 音分:

$$1200 \log_2 \frac{3^7}{2^{11}} = 1200(7 \log_2 3 - 11) \approx 113.685。$$

由 (3) 式可以理解为什么说音分是度量音程的对数标度单位。音分通常用于度量极小的音程, 或是用于比较不同乐律系统中可比音程的大小差异。1 音分的差距极为微小, 人耳很难辨别, 须以仪器检测。

变音音序和调的五度循环

乐理教程详细分析介绍了 14 个可能出现的变音, 以及它们出现的先后次序。

升号音序为 #F、#C、#G、#D、#A、#E、#B;

降号音序为 ᵇB、ᵇE、ᵇA、ᵇD、ᵇG、ᵇC、ᵇF,从数学的角度看,其中的规律是明显的。

从 F 的音码 4 开始,逐次加 4 (按模 7 同余) 就可以得到:4,1,5,2,6,3,7,即为全部升号音序。如再加 4 就回到第一个升号音级 F。

从 B 的音码 7 开始,依次减 4,就可以得到全部降号音序。

升号音序是依次加 4 到 B,降号音序是从 B 开始依次减 4,二者的音级顺序自然正好相反。降号与升号相当于 "**逆运算**",加 4 自然改为减 4。

为什么是逐次加 4 或减 4?这是为了保证音级之间半音与全音关系不变,因为从半音关系 EF 到半音关系 BC 为 4 个音级。

至于 15 个音调的 "**五度循环**",其规律与变音音序相同,从数学上看,从 C 调开始,依次加 4 即得上五度循环 (C 调,G 调,D 调,A 调,E 调,B 调,#F 调,#C 调),依次减 4 即得下五度循环 (C 调,F 调,ᵇB 调,ᵇE 调,ᵇA 调,ᵇD 调,ᵇG 调,ᵇC 调)。

四声和六声音阶为何鲜见

在音乐发展史上,出现过四声、五声、六声、七声音阶等,为什么现在常见的是五声和七声音阶,而鲜见四声和六声音阶?

从数学来看,5 和 7 是素数,从而使得五声和七声音阶可以从其中的任一音级出发,按照任一确定的音程升高或者降低,均能得到该音阶的所有音级

并回到原来出发的音级。例如:

五声音阶,将五个音级分别记作 1、2、3、4、5,从任一音级 (例如 2) 开始,按照任一确定的音程 (例如三度音程) 升高,因为五声音阶按模 5 同余,$2+3=5,5+3 \sim 3,3+3 \sim 1,1+3=4,4+3 \sim 2$,如此得到了所有五个音级,并回到了原来出发的音级 2。

同样地,从七声音阶的任一音级 (例如 3) 开始,按照任一确定的音程 (例如四度音程) 升高,模 7 同余,依次得到 3, 7, 4, 1, 5, 2, 6, 3,在得到所有七个音级后回到开始的音级 3。

但是 4 和 6 是合数,对于四声和六声音阶则不能保证做到这一点。例如:

四声音阶,四个音级分别记作 1、2、3、4,如果从音级 2 开始,依次升高二度音程,因为四声音阶按模 4 同余,则有 $2+2=4,4+2 \sim 2$,已回到开始的音级 2,但无法得到音级 1 和 3。

同样地,六声音阶如果从音级 2 开始,依次升高二度音程,因为按模 6 同余,则有 $2+2=4,4+2=6,6+2 \sim 2$,已回到开始的音级 2,但无法得到音级 1、3、5。

四声音阶和六声音阶的这一重大欠缺,使得它们相形见绌。古希腊的四音音列,也发展为由两组四音音列组合而成七声音阶。

现在通用的十二平均律,虽然 12 是合数,但其基本音级是七个,为七声音阶。钢琴的一组键盘由 7 个白键 5 个黑键组成;五线谱有 5 条线。其中关键的数字 5、7 也是素数。

总之, 通常采用素数音阶应当是前人在实践中的经验总结。2 和 3 也是素数, 历史上也曾出现过二声和三声音阶, 但仅有两、三个音级的音阶体系, 表现力差, 自然也被舍弃。

五线谱与坐标系

五线谱相当于数学上的坐标系, 各个音符在五线谱中的位置, 相当于在平面直角坐标系里点的位置。如果以五线谱的一线作为 x 轴, 其左端点为原点, 与一线垂直的直线为 y 轴建立直角坐标系, 以 $f(x)$ 表示横坐标为 x 的音符的音高 (频率), 则和弦就是根音 $f(x)$ 的纵向位移, 如果记 c_k 为 k 音与根音之间的音程, 令 $c_1 = 0$, 则和弦中 k 音的频率即为 $f_k = f(x) + c_k$, 三和弦 $k = 1, 3, 5$, 七和弦 $k = 1, 3, 5, 7$。而乐曲中一段旋律 $f(x), x \in [a, b]$ 的再现, 就是该旋律沿 x 轴方向的平移, 设平移的距离为 c, 则再现的旋律就是 $f(x - c), x \in [a + c, b + c]$。

三、音律学的发展及数学原理

(一) 6 世纪之前的中国音律学

黄钟律与进位制

在世界历史上，没有一个民族像中华民族一样重视乐律，而且把它看作是朝代更迭的象征。黄钟是中国古代十二律的第一律，既作为中国古代的标准音高，也是古代社会朝代的一种标志。因为传统律学均以振动体长度计算音高，黄钟一律既定，不仅其他音律皆定，度、量、衡也随之而定。因此，大凡改朝换代，都要重新确定黄钟律的音高，以示更弦易辙。关于黄钟律的记载，最早见于大约成书于战国 (公元前 475 — 前 221) 初年的《管子》一书，其中有如何从黄钟宫音开始，相继得到徵、商、羽、角等五音的三分损益法。我国西周以前的黄钟律已难考定，春秋、战国间的黄钟律，各家考证莫衷一是，汉以后历代的黄钟律音高，在杨荫浏先生的《中国音乐史纲》中有详细记述，仅举几例如表 3。

总的看来，中国古代的黄钟音高大多在 350 Hz

表 3　汉以后的部分黄钟律

律制名称	黄钟律频率/Hz	相当于现音高 ± 音分值
汉·刘歆律	346.7	$f^1 - 12.58$
魏·杜夔律	370.1	$\#f^1 + 0.49$
唐贞观·雅乐律	364.2	$\#f^1 - 27.32$
后周·王朴律 宋初律	379.5	$\#f^1 + 43.91$
宋·大晟九寸律 金、元、明·雅乐律	298.7	$d^1 + 29.43$
明·朱载堉律	315.0	$^{b}e^1 + 21.42$
清·康熙律	344.4	$f^1 - 24.1$

左右，相当于 f^1。曾侯乙编钟的黄钟音高大体为 407 Hz，相当于 $^{b}a^1$。

　　国际上为了音乐理论研究、作曲定调、乐器制作与校音、合唱合奏时确定音高等的需要，1834 年，在斯图加特召开的物理学家会议上，规定以 a^1 的振动频率为 440 Hz 作为标准音高，称为"第一国际高度"，因其常用于演奏会中，故又称"演奏会高度"。此外还有 1859 年巴黎会议上确定的以 a^1 为 435 Hz 的"第二国际高度"以及以 a^1 为 432 Hz 的"物理学高度"（"理论高度"）。我国在 1956 年 6 月召开的第一届全国乐器专业会议上规定以 a^1 为 440 Hz 作为标准音高。拿起普通家庭的电话座机，话筒中传出的声音就是 440 Hz。在实际演奏中，不少音乐家喜欢把乐器音高调高一点，a^1 调到 442 Hz，这样听起来会比较亮。由于乐器和各人的习惯不同，合奏演出前一定要调音，管弦乐队是以双簧管所奏的 a^1 来统一整个乐队各个乐器的。民间小型演出前有时也利用电话座机的音高来进行乐器对音。

黄钟律虽然在不同的时期音高不同，但它们作为标准音高的作用是相同的，将发出黄钟音的律管长度，作为长度的单位“一尺”也是相同的，只是不同时期“一尺”的绝对长度有所差异，但“尺异律同”。

中国古代比“尺”更小的长度单位，依次是：寸、分、厘、毫、丝、忽、微、纤。这样就有数值的进位制问题。

早在公元前 500 年左右，中国就有了严格的十进位值制筹算记数，筹算数码有纵横两式，代表数 1, 2, 3, 4, 5, 6, 7, 8, 9 的筹算数码分别是

纵式	𝍠	𝍡	𝍢	𝍣	𝍤	𝍥	𝍦	𝍧	𝍨
横式	𝍩	𝍪	𝍫	𝍬	𝍭	𝍮	𝍯	𝍰	𝍱

图 15　中国算筹

记数时按照从个位数起向左将算筹纵横相间排列的规则，零则以空位表示。例如 𝍡𝍮　𝍫𝍠 表示 26031。这一创造是对世界文明的一大贡献，也是中国古代算法及其成就遥遥领先于世界各国的一个重要原因。

根据《前汉书 · 律历志》的记载，黄钟律管的长度是通过累计黍粒来确定的。每一黍粒的长度为

一分, 如果是将黍粒横放排列 (横累), 10 粒为一寸, 100 粒为一尺; 纵放排列 (纵累), 81 粒为一尺, 但有 9 粒为一寸和 10 粒为一寸两种规定; 斜放排列 (斜累), 9 粒为一寸, 90 粒为一尺。此即所谓 "**三黍四律法**", 其中有三律为十进制, 一律为九进制。

为了区别横累与纵累计量的结果, 古称横累测得的结果为**横黍之度**, 为十进制; 称纵累测得的结果为**纵黍之律**, 为九进制。中国古代黄钟律的九进制, 一尺为 9 寸, 一寸为 9 分, 即一尺为 81 分。

三分损益法

三分损益法是中国最早的有关乐律理论和计算的方法, 是中国音律学家在音乐发展史上做出的重要贡献。宫、商、角、徵、羽五音组成的五声音阶, 以及七声音阶、十二律等都可以用三分损益法生成。

所见最早记载三分损益法的文献是《管子·地员篇》。《管子》是中国先秦诸子时代百科全书式的巨著, 由管仲学派编撰, 大约成书于战国初年。该书收编、记录了春秋时期 (公元前 770 — 前 476) 齐相管仲 (公元前 ? — 前 645) 生前的思想、言行, 也包含了管仲学派对管仲思想的发挥和发展。

《地员篇》论述土壤分类以及各类土壤所适宜种植的农作物与树草。"**夫管仲之匡天下也, 其施七尺。**……见是土也, 命之曰五施, 五七三十五尺而至于泉。呼音中角。…… 四施, 四七二十八尺而至于泉。呼音中商。…… 三施, 三七二十一尺而至于泉。呼音中宫。…… 再施, 二七一十四尺而至于泉。

呼音中羽。…… 一施，七尺而至于泉。呼音中徵。"

其意为：管仲协助治理天下，定七尺为一施。最好的土壤称之为五施之土，土深三十五尺而与泉相接，呼音相当于"角"声；四施之土，土深二十八尺而与泉相接，呼音相当于"商"声；三施之土，土深二十一尺而与泉相接，呼音相当于"宫"声；再施之土，土深一十四尺而与泉相接，呼音相当于"羽"声；一施之土，土深七尺而与泉相接，呼音相当于"徵"声。

随后，将五声由低到高与家畜的鸣叫声比拟："凡听徵，如负猪豕觉而骇。凡听羽，如鸣马在野。凡听宫，如牛鸣窌中。凡听商，如离群羊。凡听角，如雉登木以鸣，音疾以清。"

接着，则进一步阐明了如何由黄钟宫音开始，相继得到徵、商、羽、角等五音的三分损益法：

"凡将起五音凡首，先主一而三之，四开以合九九，以是生黄钟小素之首，以成宫。三分而益之以一，为百有八，为徵。不无有三分而去其乘，适足，以是生商。有三分，而复于其所，以是成羽。有三分，去其乘，适足，以是成角。"这段话指出，要得到五音，可先"主一而三"，即将 1×3 得 3，

"四开以合九九"即 $3^4 = 9 \times 9 = 81$，由此产生黄钟宫音；

"三分而益之以一"就是在原来的基础上加上其三份中的一份，即乘 $\left(1 + \dfrac{1}{3}\right)$，得 $\left(1 + \dfrac{1}{3}\right) \times 81 =$ 108，为徵；

"不无有三分而去其乘"即 $\left(1 - \dfrac{1}{3}\right) \times 108 = 72$，

生商;

再由 $\left(1 + \dfrac{1}{3}\right) \times 72 = 96$, 得羽;

由 $\left(1 - \dfrac{1}{3}\right) \times 96 = 64$, 得角。

将所得五音按照音高由低到高的顺序排列, 就是: 徵、羽、宫、商、角。在简谱中相当于 $\underset{\cdot}{5}, 6, 1, 2, 3$。

中国古代审定乐音的音高标准称为**律**。宫、商、角、徵、羽五音就构成五律。

将振动体的长度 (或频率), 乘 $\left(1 + \dfrac{1}{3}\right)$ 称为 "三分益一", 乘 $\left(1 - \dfrac{1}{3}\right)$ 称为 "三分损一"。

相继运用 "三分益一" 和 "三分损一" 来计算音律的方法, 称为**三分损益法**; 由此形成的律制叫做**三分损益律**。上述五律和我们后面介绍的七律、十二律都属于三分损益律。

"四开以合九九, 以是生黄钟小素之首", 即在黄钟律长度计算中取九进制, 对此, 朱载堉认为这是取法于洛书, 他在《律吕精义》中说: "以九寸为黄钟, 凡八十一分, 取象洛书之九自乘之数。" 他还指出 "九分为寸, 原为三分损益而设也。" 事实上, 宫为81; 三分损一, 得 54 即为徵; 再三分益一, 得 72 为商; 再三分损一, 得 48 为羽; 再三分益一, 得 64 为角。如此即可得到五声音阶。将它们按音高由低到高排列, 即为宫、商、角、徵、羽。在简谱中相当于 $1, 2, 3, 5, 6$。前面所得徵 (108)、羽 (96) 分别比这里的徵 (54)、羽 (48) 低八度。

总之, 由上述可见, **在公元前 645 年之前, 管仲**

就已经知道角、商、宫、徵、羽五声的高低与水井深度有关，而且发现当两个振动体的长度之比为正整数时，所发声音是和谐的，并且给出了如何生成五声音阶的三分损益法。

十 二 律

十二律是中国古代的音律。按音高由低到高的顺序排列，十二个律名为：黄钟，大吕，太簇 (cù)，夹钟，姑洗，蕤 (ruí) 宾，林钟，夷则，南吕，无射，应钟。其中在奇数位的黄钟、太簇、姑洗、蕤宾、夷则、无射六个称为律，又称阳律；在偶数位的大吕、夹钟、仲吕、林钟、南吕、应钟六个称为吕，又称阴律。因为六吕位于六律之间，故又称为六间。狭义的律，仅指六个阳律；阳律和阴律一起，统称为"律吕"。

公元前 249 年 — 前 237 年吕不韦任秦相国时，其门人所作《吕氏春秋·古乐》篇中有黄帝令伶伦作十二律的传说：伶伦"取竹 …… 断两节间。其长三寸九分而吹之，以为黄钟之宫，…… 次制十二筒，…… 听凤凰之鸣，以别十二律。其雄鸣为六，雌鸣亦六，以比黄钟之宫，适合。黄钟之宫，皆可以生之。故曰：'黄钟之宫，律吕之本。'"但此传说尚未见科学的论证。

在曾侯乙编钟的铭文上，楚国已有全部十二个律名，只不过名称有所不同。

最早、最完备记载十二律名称的典籍是先秦文献《国语·周语下》，其中记述了东周景王 23 年 (公元前 522 年) 打算铸造无射大钟, 向乐官伶州鸠询问音律, 伶州鸠回答了上述六律和六间的律名以及它们的作用。

最早记录十二律相继产生方法的文献是《吕氏春秋·音律篇》。其法为: **"黄钟生林钟, 林钟生太簇, 太簇生南吕, 南吕生姑洗, 姑洗生应钟, 应钟生蕤宾, 蕤宾生大吕, 大吕生夷则, 夷则生夹钟, 夹钟生无射, 无射生仲吕。三分所生, 益之一分以上生; 三分所生, 去其一分以下生。黄钟, 大吕, 太簇, 夹钟, 姑洗, 仲吕, 蕤宾为上; 林钟, 夷则, 南吕, 无射, 应钟为下。"**

上述方法中的 "上" "下", 因古文是由上而下竖行书写, 音由低而高排列, 故向上是音由高而低, 向下是音由低而高。**"三分所生, 益之一分以上生"**, 是说将物 (如弦) 长增加 $\frac{1}{3}$ 则得到上方 (即较低) 的一个音; **"三分所生, 去其一分以下生"**, 是说将物 (如弦) 长减少 $\frac{1}{3}$ 则得到下方 (即较高) 的一个音。这正是**三分损益法**。开始的黄钟作为标准音; 大吕、太簇等六个音, 都是由 "三分益一" 而得; 林钟, 夷则等五个音, 都是由 "三分损一" 而得。

总之, 从典籍与考古发掘可见, **中国在春秋时期十二律名应已产生, 到战国早期已经形成完整律名体系, 战国晚期, 十二律名已经定型并在全国使用。**十二律可按音高由低到高的顺序排列如表 4。

后面我们将看到运用三分损益法产生的音律存在两大不足: 一是不能回归黄钟本律, 二是相邻两律音程不尽相同。能否弥补这些不足? 中国历代乐律

表4　十二律

律名	黄钟	大吕	太簇	夹钟	姑洗	仲吕	蕤宾	林钟	夷则	南吕	无射	应钟
音名	F	#F	G	#G	A	#A	B	C	#C	D	#D	E

学家苦苦思考不断探索，在原来的基础上进行补充与修改，取得不少成果，其中主要的有**京房六十律**、**钱乐之三百六十律**以及**何承天新律**。直至明代朱载堉创立了**十二平均律**才得到彻底、完满的解决。

京房六十律与钱乐之三百六十律

京房六十律　京房（公元前 77 年 — 前 37 年），今河南清丰人，汉元帝时立为博士，后被贬为魏郡太守，继之下狱致死。他是最早从理论上发现 **"仲吕不能还生黄钟"** 的律学家，为了解决这一问题，他在十二律的基础上，运用三分损益法从仲吕继续上下相生，推演到六十律，后世称之为 **"京房六十律"**。其实，他所推演到的五十四律 **"色育"**，只比黄钟高出 3.6 音分（京房称为 **"一日"**），听觉已很难分辨，但他为了符合天体历数而继续推到六十律，最后七音组成的七声音阶称为 **"色育均"**，与原来从黄钟开始所生七音组成的七声音阶 **"黄钟均"**，各相应音之间都只相差微小的 **"一日"**。

钱乐之三百六十律　南朝宋元嘉年间（424—453年），太史钱乐之为了达到 **"日当一管"**（全年每天一律），在京房六十律的基础上，继续用三分损益法推演到三百六十律，还生黄钟本律的音差更为缩小了，但也过于繁复。

何承天新律

何承天 (370—447)，今山东郯城人，南朝宋大臣，历任衡阳内史、御史中丞等，著名天文学家、律学家。何承天认为京房通过将一个八度细分加律来解决音差问题的方法不妥，主张在十二律内部进行调整。由黄钟 9 寸开始，三分损益产生十二律的最后一步为"无射生仲吕"，得仲吕 6.6591 寸，何承天先将仲吕三分益一得"变黄钟" 8.8788 寸，与本律黄钟 9 寸相差 0.1212 寸，然后他将此差数 12 等分，每份为 0.0101 寸，再分别在三分损益依次所生的第 k 个律上加 k 个 0.0101 寸，例如林钟 $6 + 0.0101 = 6.0101$，仲吕 $6.6591 + 0.1111 = 6.7702$，这样"变黄钟"就是 $8.8788 + 0.1212 = 9$ 寸，还生为黄钟。《宋书·律历志》称这一律制为"**新律**"。其实际效果已相当接近十二平均律。具体数据如表 5 (单位: 寸):

表 5　何承天新律

律名	黄钟	林钟	太簇	南吕	姑洗	应钟	蕤宾
原律长	9	6	8	5.3333	7.1111	4.7407	6.3029
新律长	9	6.0101	8.0202	5.3636	7.1515	4.7912	6.3635

律名	大吕	夷则	夹钟	无射	仲吕	还生黄钟	
原律长	8.4279	5.6186	7.4915	4.9943	6.6591	8.8788	
新律长	8.4986	5.6994	7.5824	5.0953	6.7702	9	

(二) 18 世纪前的西方音律学

毕达哥拉斯五度相生法

古希腊哲学家、数学家和音乐理论家毕达哥拉斯是人类文化史上最早将数学、哲学和音乐结合起来思考的学者之一。传说有一天，他路过一家铁匠铺，听到里面传出的打铁声非常和谐、悦耳，进去研究四位铁匠使用的铁锤，发现它们的重量之比为 $12:9:8:6$。也就是两个铁锤之间的重量构成 $2:1$；$3:2$；$4:3$；$9:8$ 这样一些整数比。他进一步研究了弦振动发出的声音，发现当两条弦的长度比为 $2:1$ 时，发出的声音听起来为 do 和 ì，即为八度；长度比为 $3:2$ 时，发出的声音听起来为 do 和 sol，即为五度；当长度比为 $4:3$ 时，发出的声音听起来为 do 和 fa，即为四度；当长度比为 $9:8$ 时，发出的声音听起来为 do 和 re，即为二度。在此基础上，他发明了**五度相生法**，通过纯五度音程的关系，连续依次推出一个系列音阶，即著名的**毕达哥拉斯音列**。该音列全音阶七个音由一个低五度音程和连续 5 个上五度音程得到，其频率比为

$$\frac{2}{3}, 1, \frac{3}{2}, \left(\frac{3}{2}\right)^2, \left(\frac{3}{2}\right)^3, \left(\frac{3}{2}\right)^4, \left(\frac{3}{2}\right)^5 。$$

其中后四个值均大于 2，亦即和第二个音已经超出八度音程。通过相继除以 2，使这四个值均小于 2；并将第一个音乘 2，就得到了位于一个八度音程内

的同名音，这样七个音的频率比为

$$\frac{4}{3}, 1, \frac{3}{2}, \frac{9}{8}, \frac{27}{16}, \frac{81}{64}, \frac{243}{128},$$

相当于 fa, do, sol, re, la, mi, si。将它们按照由低到高的音序排列，就是：

表 6　毕达哥拉斯音阶

音名	C	D	E	F	G	A	B	c
频率比	1	$\frac{9}{8}$	$\frac{81}{64}$	$\frac{4}{3}$	$\frac{3}{2}$	$\frac{27}{16}$	$\frac{243}{128}$	2

由表 6 可见，毕达哥拉斯音阶中，相邻两个音构成的音程有两种，一种 (如 CD) 频率比为 9 : 8，近似为 204 音分，比十二平均律全音音程约大 4 音分，称为"大全音"；另一种 (如 EF) 频率比为 256 : 243，近似为 90 音分，比十二平均律半音音程约小 10 音分，称为"小半音"，而 180 音分称为"小全音"。音分的计算见二中音分的概念与计算。

古希腊四音音列

古希腊人在公元前 5 世纪左右就总结出由四音音列构成的音阶体系。

希腊人的音感较为特殊，音程由高而低构成下行音阶。四音音列以纯四度为框架，由两个全音和一个半音从高到低下行排列而成，以古希腊几个重要部落的名字命名，分别为：多里亚 (Dorian)、弗里几亚 (Phrygian) 和利底亚 (Lydian)。

多里亚调式, mi re do si, la sol fa mi。其特点是第 3、4 两个音构成半音。

弗里几亚调式的特点是第 2、3 两个音构成半音, 如 re do si la。

利底亚调式的特点是第 1、2 两个音构成半音, 如 do si la sol。

将两个同一调式的四音音列结合起来, 就组成了一个八度音阶:

多里亚音阶 mi re do si —— la sol fa mi

弗里几亚音阶 re do si la —— sol fa mi re

利底亚音阶 do si la sol —— fa mi re do

将它们从后往前看, 就是我们习惯的音阶排列形式。因此, 古希腊音乐的七声音阶, 加入主音的高八度音之后, 与四音音列是完全符合的。

四音音列是以毕达哥拉斯五度相生法为基础的。

纯　律

纯律与十二平均律、五度相生律为音乐的三种主要律式。

纯律起源于欧洲, 英文为 just intonation 或 pure intonation, 意思是 "正确的" 或 "纯粹的音准"。《哈佛音乐辞典》注释为 **"纯律是一种以自然五度和三度生成其他所有音程的音准体系和调音体系。"**

有的资料给出纯律的 12 个频率值见表 7。

这些值是如何产生的?

自然五度即纯五度, 频率之比为 3 : 2; 大三度频率之比为 5 : 4。纯律的各个音级是通过纯五度加

表 7　纯率频率

1	$\frac{16}{15}$	$\frac{9}{8}$	$\frac{6}{5}$	$\frac{5}{4}$	$\frac{4}{3}$	$\frac{7}{5}$	$\frac{3}{2}$	$\frac{8}{5}$	$\frac{5}{3}$	$\frac{7}{4}$	$\frac{15}{8}$

大三度, 或者大三度加纯五度 (二者均构成大七度),
以及纯五度减大三度产生的。

将频率乘 $\frac{3}{2}$ 为上生纯五度音程; 乘 $\frac{5}{4}$ 为上生大
三度音程; 乘 $\frac{4}{5}$ 为下生大三度音程, 同时将所得频率
折合到同一个八度内, 例如 $\frac{4}{3}$ 上生纯五度为 $\frac{4}{3} \times \frac{3}{2} =$
2, 折合到同一个八度内, 即除以 2, 得 1。这样就有

$$\frac{4}{3} \xrightarrow{\text{纯五度}} 1 \xrightarrow{\text{大三度}} \frac{5}{4} \xrightarrow{\text{纯五度}} \frac{15}{8} \xrightarrow{\text{下大三度}} \frac{3}{2} \xrightarrow{\text{纯五度}} \frac{9}{8}$$

$$\frac{4}{3} \xrightarrow{\text{大三度}} \frac{5}{3} \xrightarrow{\text{纯五度}} \frac{5}{4}$$

$$\frac{4}{3} \xrightarrow{\text{下大三度}} \frac{16}{15} \xrightarrow{\text{纯五度}} \frac{8}{5}$$

$$1 \xrightarrow{\text{纯五度}} \frac{3}{2} \xrightarrow{\text{下大三度}} \frac{6}{5} \xrightarrow{\text{纯五度}} \frac{9}{5} \xrightarrow{\text{下大三度}} \frac{36}{25}$$

按照上述方法, 无法产生 $\frac{7}{5}$ 和 $\frac{7}{4}$, 但有 $\frac{36}{25}$ 和 $\frac{9}{5}$, 如
果注意到:

$$\frac{36}{25} = 1.44 \approx 1.4 = \frac{7}{5}, \quad \frac{9}{5} = 1.8 \approx 1.75 = \frac{7}{4}。$$

以 $\frac{7}{5}$ 代替 $\frac{36}{25}$, 以 $\frac{7}{4}$ 代替 $\frac{9}{5}$, 将上面计算得到的
12 个频率比值由小到大顺序排列, 就是表 7 给出的
结果。

纯律基本音级的频率比如表 8。

表 8　纯律基本音级

音名	C	D	E	F	G	A	B
频率比	1	$\dfrac{9}{8}$	$\dfrac{5}{4}$	$\dfrac{4}{3}$	$\dfrac{3}{2}$	$\dfrac{5}{3}$	$\dfrac{15}{8}$

其中相邻两个音构成的音程有三种, 一种 (如 CD) 频率比为 9 : 8, 近似为 204 音分, 是 "大全音"; 另一种 (如 DE) 频率比为 10 : 9, 近似为 180 音分, 是 "小全音", 第三种 (EF) 频率比为 16 : 15, 近似为 90 音分, 是 "小半音"。

纯律的各个音高, 是纯粹按照声音的自然规律来确定的, 其中各个音的频率之比都是简单的分数, 因而听起来特别纯美、和谐、悦耳, 因此人们称它为纯律。但纯律转调不方便。

复调音乐与中庸全音律

14 世纪初在意大利兴起继而席卷欧洲的文艺复兴运动, 标榜新艺术, 强调依据数学和科学进行创作。音乐上的复兴是以复调音乐的发展为标志的。

所谓**复调音乐** (polyphony music) 是多声部音乐的一种, 作品中含有两个、三个或四个各自独立的声部, 前后叠置起来, 通过技术性处理, 和谐地结合在一起。在横的关系上, 各声部的节奏、力度、强音、高潮、终止、起讫以及旋律线的起伏等, 不尽相同且各有其独立性; 但在纵的关系上, 各声部又彼此形成良好的和声关系。复调音乐通常分为三种: 对位, 卡农, 支声。

用对比方法所写的复调音乐称为对位音乐, 简称对位。如 1934 年贺绿汀 (1903—1999) 的钢琴独奏曲《牧童短笛》, 其中第 1～24 小节的呈示段, 就是采用二声部对比复调的写法, 高声部与低声部一呼一应, 一对一、一对二、一对四, 上紧下松, 上静下动, 乐节与乐句之间, 呼应交替进行, 既有密切关联, 也形成了明显的对比。

以连续模仿为基础所写的复调音乐, 通称卡农 (canon), 即二部、三部、四部的轮唱或轮奏, 当一个声部还未结束时, 另一个声部就以模仿的形式开始。如冼星海 (1905—1945)《黄河大合唱》原稿中的四部轮唱曲《保卫黄河》。

用衬托的方法所写的复调音乐, 称支声复调或衬腔式复调。如晨耕 (1923—　) 等作曲的《长征组歌》中的女声二重唱《遵义会议放光辉》。

15 世纪中叶至 16 世纪末是复调音乐的鼎盛时期, 而声部和谐的理论基础是和声与和弦, 因此音律学的研究也跨进了一个新阶段。1511 年德国管风琴家兼 Lute 琴演奏家什里克 (A. Schlick, 约 1460—1520 以后) 在其著作《管风琴制造者及管风琴家之镜》中, 提出了一种**中庸全音律** (mean-tone temperament), 也称**平均音调律**。他发现五度相生音列 CGDAE 所生的第四律 E 与本律 C 不谐和, 要高出一个 "普通音差" 22 音分, 为了消去这一误差, 他采取了将普通音差逐步减少的方法, 即将依次所生的第一律减去 5.5 音分, 第二律减去 11 音分, 第三律减去 16.5 音分, 第四律减去 22 音分。对于随后的五度相生音列 EBFCG, 以及从 C 向下所生音列 CFBCA, 也做同样处理, 这样就得到所谓 "中庸全音律"。中庸全音律把纯律的大全音和小全音加以平均, 由此构成的大音阶, 只有一种全音 (中庸律全音) 和一种半音 (中庸律半音)。中庸全音律能在一定范围内转调, 但只能适应 7 个大调和 4 个小调, 超出这一范围就会产生明显不准的音程。它的主要优点是能产生纯律的效果, 解决了和弦发音和谐的问题, 因此成为中世纪键盘乐器上最通行且最佳的律制, 在十二平均律流行之前, 它在欧洲盛行达数百年之久。

(三) 三分损益与五度相生实质相同

两个声音的频率比值为正整数时, 听起来和谐、悦耳, 是人耳的生理声学特性。中外古代学者, 利用感官都已发现, 声音的高低与发声体 (如弦、管) 的长度成反比, 而当质地相同的两条弦的长度成正整数比时, 它们发出的音听起来是和谐的, 长度为 2 : 1 时所发出的谐音, 用现在的术语来说就是相差八度的同名音 (如 C 与 c)。在两个相差八度的同名音之间如何产生其他谐音呢? 最自然的想法就是首先考虑区间 $[1, 2]$ 的中点 $\frac{3}{2}$ 和第一个三分点 $\frac{4}{3}$; 或者是考虑区间 $\left[\frac{1}{2}, 1\right]$ 的中点 $\frac{3}{4}$ 和第一个三分点 $\frac{2}{3}$。换句话说, 就是考虑将原来的弦长乘 $\frac{4}{3}$ "三分益一", 或

者是乘 $\frac{2}{3}$ "三分损一"；而从频率来看，就是将原来的频率乘 $\frac{3}{4}$ 或者乘 $\frac{3}{2}$。这正是 "三分损益法"。

"三分益一" 和 "三分损一" 是相通的

因为将弦长乘 2 (音的频率除以 2) 所对应的是比原来的音低八度的同名音。例如，若设 c (do) 的对应弦长 (频率) 为 1，则弦长为 $\frac{2}{3}$ (频率为 $\frac{3}{2}$) 的音为 g (sol)，而弦长为 $\frac{4}{3}$ (频率为 $\frac{3}{4}$) 的音是比 g 低八度的 G ($\overline{5}$)。

所以，"三分益一" (乘 $\frac{4}{3}$) 和 "三分损一" (乘 $\frac{2}{3}$) 所得到的是同名音，只不过二者相差八度而已 ($\frac{4}{3} : \frac{2}{3} = 2$)。

因此，"三分益一" 和 "三分损一" 是相通的。只是因为单纯使用 "三分益一" 或者 "三分损一" 会越出八度音程，故而 "三分损益法" 将二者结合使用，以使所得音级均位于同一个八度音程内。

三分损益就是五度相生

正因为三分益一和三分损一是相通的，所以可以通过连续三分益一或者连续三分损一，并将所得音级化归到同一个八度音程内，来生成音阶体系。而连续三分损一，相继两个音的频率后者与前者之比都是 3 : 2，都构成五度音程 (所得到的音依次为：do, sol, re, la, mi, si, fa)，因此**三分损益就是五度相生**。

三分损益法就是**五度相生法**。三分损益律就是**五度相生律**。下面我们以通过连续三分损一来生成五声、七声和十二声音阶为例, 作进一步的说明。

连续三分损一改变弦长, 就可以得到公比为 $\frac{3}{2}$ 的一系列频率值

$$1, \frac{3}{2}, \quad \left(\frac{3}{2}\right)^2, \quad \left(\frac{3}{2}\right)^3, \quad \left(\frac{3}{2}\right)^4, \cdots \text{。} \quad (1)$$

如果取前五个频率值, 其中后三个均大于 2, 亦即和第一个音已经超出八度音程。通过相继除以 2, 使这三个值均小于 2, 就得到了位于八度音程内的同名音, 这样五个音的频率为

$$1, \quad \frac{3}{2}, \quad \frac{9}{8}, \quad \frac{27}{16}, \quad \frac{81}{64} \text{。}$$

按照由低到高的音序排列, 就是

$$1, \quad \frac{9}{8}, \quad \frac{81}{64}, \quad \frac{3}{2}, \quad \frac{27}{16} \text{。}$$

按照简谱的唱名, 就是 1, 2, 3, 5, 6。如果我们再将上面五个音中的后两个音降八度, 并按照由低到高的音序排列, 就得到频率为

$$\frac{3}{4}, \quad \frac{27}{32}, \quad 1, \quad \frac{9}{8}, \quad \frac{81}{64}$$

的五个音。这正是《管子·地员篇》中由黄钟宫音开始, 运用三分损益法相继得到五音之后, 按照由低到高的音序排列的**五声音阶** (见表 9)。

如果在数列 (1) 中取前七个值, 前五个值仍按上述处理, 后两个值

$$\left(\frac{3}{2}\right)^5 \quad \text{和} \quad \left(\frac{3}{2}\right)^6$$

表 9　五声音阶

音阶名	徵	羽	宫	商	角
振动体相对长度	108	96	81	72	64
频率比	$\dfrac{3}{4}$	$\dfrac{27}{32}$	1	$\dfrac{9}{8}$	$\dfrac{81}{64}$
相当于今日音名(唱名)	sol(5)	la(6)	do(1)	re(2)	mi(3)

分别除以 4 和 8, 即将它们分别降两个八度和三个八度, 频率分别成为 $\dfrac{243}{128}$ 和 $\dfrac{729}{512}$, 再将七个频率由低到高排列, 就得到**七声音阶**的频率

$$1, \quad \frac{9}{8}, \quad \frac{81}{64}, \quad \frac{729}{512}, \quad \frac{3}{2}, \quad \frac{27}{16}, \quad \frac{243}{128},$$

按照简谱的唱名, 就是: 1, 2, 3, 4, 5, 6, 7。

运用相同的方法可以得到**十二声音阶**, 这正是《吕氏春秋·音律篇》中由黄钟开始, 运用三分损益法, 相继得到十二音后, 按照由低到高的音序排列的结果 (表 10)。

表 10　十二声音阶

律名	黄钟	大吕	太簇	夹钟	姑洗	仲吕	蕤宾	林钟	夷则	南吕	无射	应钟
音名	C	$^{\#}$C	D	$^{\#}$D	E	F	$^{\#}$F	G	$^{\#}$G	A	$^{\#}$A	B
频率比	1	$\dfrac{3^7}{2^{11}}$	$\dfrac{3^2}{2^3}$	$\dfrac{3^9}{2^{14}}$	$\dfrac{3^4}{2^6}$	$\dfrac{3^{11}}{2^{17}}$	$\dfrac{3^6}{2^9}$	$\dfrac{3}{2}$	$\dfrac{3^8}{2^{12}}$	$\dfrac{3^3}{2^4}$	$\dfrac{3^{10}}{2^{15}}$	$\dfrac{3^5}{2^7}$
音阶	宫		商		角		变徵	徵		羽		变羽

"黄钟生林钟，林钟生太簇，……，无射生仲吕"，都是五度音程，即**五度相生**。而从表 10 可见，黄钟到林钟首尾共有八个律; 林钟到太簇 …… 无射到仲吕首尾也是八律，所以古人又称上述生成法为 "**隔八相生法**"。

三分损益法的两大欠缺

三分损益法可以生成五声、七声、十二声音阶，但有两大欠缺:

第一，因为 $\frac{3}{2}$ 的任何正整数次幂都不可能是 2 的正整数幂 (或者说: 方程 $3^x = 2^y$ 没有正整数解)，因此，用三分损益法生成的音阶都**不可能回归原来的音级 (本律)**。例如

$$\left(\frac{3}{2}\right)^5 = \frac{243}{32} = 7\frac{19}{32} \neq 2^3,$$

$$\left(\frac{3}{2}\right)^7 = \frac{2187}{128} = 17\frac{11}{128} \neq 2^4,$$

$$\left(\frac{3}{2}\right)^{12} = \frac{531441}{4096} = 129\frac{3057}{4096} \neq 2^7,$$

所以运用三分损益法生成五声、七声和十二声音阶，都不能回到原来出发的音级，亦即十二律的 "**仲吕不能还生黄钟**"。

第二，用三分损益法生成的十二律，按音高顺序排列，相邻两个音后者与前者的频率之比，有些是 $2^8 : 3^5 \approx 1.05349$，有些是 $3^7 : 2^{11} \approx 1.06787$。亦即十二律相邻两律的音程不尽相同，出现了两种半音关

系：一种是 90 音分，另一种是 114 音分，因而无法"周而复始"地旋宫转调。

十二律中"律""吕"之分的思考

我国古代十二律中有律、吕之分，狭义的律，仅指其中的六个阳律：黄钟、太簇、姑洗、蕤宾、夷则和无射，其原因何在？

如果注意到上述六个阳律，相邻两个音后者与前者的频率之比都是 9∶8（而六吕中则有一对不符）；而且，运用三分损益法，在一个八度音程中，最多只可能有六个音级，由此**我们可以理解为：我国古人已经注意到，在一个音阶体系中**，相邻两个音之间具有相同的频率比的**重要性**。

这也正是我国古代音乐家们此后历经数百年孜孜以求不断改进十二律的根本原因。这一愿望，需要数学科学发展到一定的高度才可能实现，而当我国传统数学在宋元时期达到当时世界领先水平，珠算研究与应用在明代达到巅峰时，应运而生的明代学者朱载堉就在世界音乐发展史上第一个完成了这一历史使命。

如何看待三分损益法与五度相生法

三分损益法与五度相生法是相通的，对这种不谋而合，有人提出它们究竟孰先孰后？究竟哪个是原创的？等等问题。曾有西方学者说三分损益法是毕达哥拉斯首先发明，而后从西方传入中国的。但毕达哥拉斯的生、卒时间都要比管仲晚 100 多年，因此，这种说法是站不住脚的。也有人说，据考证，毕达哥拉斯曾游学于埃及，很有可能从埃及学得中国的三分损益法，而中国的三分损益法是相继通过苏美尔人和迦勒底人传给埃及人的。还有人说，三分损益法是来到中国西境的古希腊商人带回去的。这些说法都没有确证，也不足为信。

其实，三分损益法也好，五度相生法也好，都是振动体发声自然规律的数学刻画，作为中国和古希腊这样的文明古国，当时数学和哲学取得的成就，足以使得两国的学者能够同时或者基本同时在音律学上独立地有所发现、有所创造。事实上，一旦条件成熟，一项发现、发明几乎同时由不同国度的不同学者独立地完成，这不仅是完全可能的，而且是科学发展史上常见的现象。

(四) 为世界认可的十二平均律

三分损益律、五度相生律、纯律，都源自大自然的规律，因此都属于自然律，但也都存在不能回归本律的问题。例如，运用五度相生法从 C(do) 开始，逐次生到第 12 律时，要比 c 高出 24 个音分，在乐律学中称为 "最大音差"。如何消除这一音差，中外律学家从各自的自然律传统出发，艰辛探索了 1000 多年，终究殊途同归趋于相仿的平均律制。

十二平均律的生律法

十二平均律是外来语，英文为 twelve tone equal temperament，也有译为**十二等程律**。十二平均律的生律法是把八度分成 12 个半音, 这些半音的频率构成一个公比为 $q = \sqrt[12]{2}$ 的等比数列, 因此其相邻两律的音程相等, 都是 100 音分。

在这种定律法下, 音名与频率比如表 11。

表 11　十二平均律音名与频率比

音名	C	#C	D	#D	E	F	#F	G	#G	A	#A	B	c
频率比	1	q	q^2	q^3	q^4	q^5	q^6	q^7	q^8	q^9	q^{10}	q^{11}	2

平台钢琴是按十二平均律制作的, 其弦长也成一等比数列, 故其顶端的外形轮廓自然也就成一指数曲线 (参看图 16)。

图 16　平台钢琴轮廓

十二平均律不仅彻底解决了生律回归本律的问题, 而且, 所生基本音级各个音与本律 C 的频率比接近于整数比。

D, E, F, G, A, B 与 C 的频率比分别为

$$q^2 = 1.12246\cdots \approx \frac{9}{8}, \quad q^4 = 1.25992\cdots \approx \frac{5}{4},$$

$$q^5 = 1.33484\cdots \approx \frac{4}{3}, \quad q^7 = 1.49831\cdots \approx \frac{3}{2},$$

$$q^9 = 1.68179\cdots \approx \frac{5}{3}, \quad q^{11} = 1.88774\cdots \approx \frac{15}{8}。$$

上面六个整数比,正是纯律音级的频率比。由此可见,十二平均律与自然律的各个音误差很小,一般听者不会感到乐音不准,而十二平均律的优点是能够移调、转调,特别是在键盘乐器中,可以根据需要自由使用所有的键,因此被普遍地看作"标准调音"并被作为"西方的标准音律"。

中国首创十二平均律

十二平均律最早是由中国明代学者朱载堉于 1581 年之前发明的。1581 年,他为其历法著作《律历融通》作序,该书附有《音义》一卷,阐述了十二平均律的计算方法。朱载堉称三分损益法为旧法,指出:"**旧法往而不返者,盖由三分损益算术不精之所致也,是故新法不用三分损益,别造密率**"(《律吕精义·内篇》卷一之《不用三分损益第三》),"密率"指 $\sqrt[12]{2}$。他在 1584 年的《律学新说》中写道:"**创立新法,置一尺为实,以密率除之,凡十二遍,所求律吕真数比古四种术尤简捷而精密。数与琴音互相校正、最为吻合。**"亦即从黄钟之长一尺出发,相继除以"密率"即可得到十二个音律。在《不用三分损益第三》中,

他详细地记述了生律过程并且所有音律值都准确到 25 位数，其中 $\sqrt[12]{2}$ 为 1.0594630943592952645618256。

欧洲音律学的研究在 16 世纪也进入了一个新阶段。为了解决五度相生音列所生的第四律与本律不谐和的问题，什里克于 1511 年提出了中庸全音律，但没有从根本上解决问题。大约 1600 年，荷兰数学家兼工程师斯蒂文 (S. Stevin, 1548—1620) 有一篇论文手稿，题为《论歌唱艺术的理论》(1884 年被人发现后发表)，其中有 12 个音分别为 $\sqrt[12]{2^{-1}}$ 的 1 到 12 次方，但他并非作开方运算而是通过繁杂的数字变换得到每个音的 4 位数值，且相邻两音比值不等，介于 1.0592 到 1.0600 之间，远不如朱载堉的计算值精确。1636 年，法国数学家、哲学家梅森 (M. Mersenne, 1588—1648) 发表《和谐通论》(*Harmonie Universelle*) 介绍了多种调音方法及演奏实践，书中直接将数 1.059463 作为把八度分成十二个半音的公比，而没有说明出处。1776 年，法国传教士钱德明 (J. J. M. Amiot, 1718—1793) 在其所著《中国音乐概论》中曾对朱载堉及其音律理论作了描述。

欧洲在音乐实践中运用平均律调音始于 18 世纪晚期，到 19 世纪 40 年代才广泛应用。平均律是不是欧洲人自己创立的？1962 年，英国著名自然科学史学家李约瑟 (Joseph Needham, 1900—1995) 指出："关于平均律的欧洲起源，很难找到确切的证据，而在中国关于这项发明的一切事实都很清楚。" "平心而论，近三个世纪里欧洲和近代音乐完全可能受到中国的一篇数学杰作的影响，虽然传播的证据尚付阙如。"([7]225, 228; 中译本 211, 214) 事实上，在朱载堉完成十二平均律的 1581 年到梅森给出 1.059463 数据的 1636 年间，朱载堉在 1606 年向朝廷进献了他的《乐律全书》，而这一期间，很多欧洲传教士来华活动，其中有意大利人利玛窦 (1552—1610)、龙华民、罗雅谷，葡萄牙人孟三德，法国人金尼阁，德国人邓玉函、汤若望等。他们大都熟悉数学、音乐和历法，其中不少人受到明朝皇帝的赏赐; 1629—1634 年间徐光启主持修订《崇祯历书》，龙华民、邓玉函、汤若望、罗雅谷先后参与了这项工作; 金尼阁曾到河南传教三四个月，朱载堉家郑王封地是其必经之地，而且他在 1613—1617 年返回欧洲; 对中国文化有着浓厚兴趣并作深入研究的利玛窦，精通天文学和数学，他和徐光启关系密切，1603 年为其受洗，1606 年与其合译《几何原本》，在利玛窦的私人日记里还提到朱载堉的历法新理论。以上事实使人们有理由相信，传教士们很可能了解到朱载堉的音律理论，并通过各种途径将有关信息传到欧洲。李约瑟博士说得好: **"与中国接触的旅行家，…… 只须说: '我知道中国人以极高的准确性调谐他们的琴。他们只要将第一音的弦长除以 $\sqrt[12]{2}$，就得到第二音的弦长，然后再除以 $\sqrt[12]{2}$ 就得到第三音的弦长，依此类推用十三次，就得到了一个完全八度。' 传播这一重要思想，无需书本，只要一句话**。"([7] 224; 中译本 211)

20 世纪 70 年代，曾有一些西方学者质疑朱载堉首创十二平均律，随着中外学者们研究的深入，事实更加清楚，朱载堉的贡献已为世人认同。

三种主要音律的比较

十二平均律、五度相生律和纯律为音乐的三种主要律式，三种律制是不同历史时期的产物，在应用上各有长处。五度相生律是根据纯五度定律的，因此在音的先后结合上自然协调，适用于单声部音乐（如天主教格里高利圣咏）。纯律的最大优点是各音的频率之比都是简单的分数，因而声音最为纯和，在和弦音的同时结合上纯正而和谐，适用于多声部音乐（如巴洛克时期的复调音乐）。但五度相生律和纯律都不能回归本律，因而都"自然而不够科学"，转调都不方便。16、17 世纪时，欧洲钢琴用的是纯律，只能转几个调，转为远关系调时容易失准；而且不能演奏具有较多升降记号的调性，例如升 C 大、小调。因而随着多声部音乐的发展，转调的频繁，它们的不足更加显现。

十二平均律转调十分方便，在键盘乐器中，可以根据需要自由使用所有的键，在演奏和制造上有着许多优点。但十二平均律与自然律之间音的误差虽然很小，却逃不过音乐家们的耳朵，在音的先后结合和同时结合上也欠纯正自然，也就是说"科学而不够自然"。因此 18 世纪当有人提出应用十二平均律时，曾遭到很多音乐家反对。但十二平均律终因其明显的优越性而在世界范围得到认可。

德国著名作曲家、管风琴演奏家巴赫于 1722 和 1744 年分别出版上、下卷 *Das Wohltemperierte Klavier*，英文名为 *The Well-Tempered Clavier*，中文

译为《平均律钢琴曲集》，此书在我国有很高的知名度。需要指出的是，十二平均律的德文是 gleich-schwebende Temperatur，而不是 Wohltemperierte。Wohl 相当于英文 well enough，Wohltemperierte 实质上是 mean-tone temperament (中庸全音律)，而非 equal temperament (等程律或平均律)(参看 [6]246 及 Gene J. Cho, The Discovery of Musical Equal Temperament in China and Europe in the 16th Century, the Edwin Mellen Press, 2003, p. 232–233。)。

四、朱载堉：十二平均律的创立者

世界历史文化名人朱载堉

朱载堉，今河南沁阳人，明代"百科全书式的学者"，世界历史文化名人。他运用等比数列，用算盘进行开平方和开立方计算，首创十二平均律；他创制了相应的定音乐器律准和律管，提出了系统的管口校正方法和计算公式，透彻地研究并实验了完全八度和纯五度等的和声问题，首创了多种平均律乐器和乐谱；他创立了"舞学"一词，绘制了大量舞谱；他还精确地测定了水银比重，精确地计算出回归年长度，精确地测算出北京的地理纬度和地磁偏角。他一生完成了《乐律全书》《历书》等20多部著作。他是杰出的乐律学家、音乐家、乐器制造家、舞学家，又是数学家、物理学家、天文历法家，在美术、哲学、文学方面也有独到建树。他是在中国传统文化土壤中诞生出的一位杰出学者，是在世界历史上将数学与音乐完美结合的第一人，被西方学者称颂为"东方文艺复兴式的圣人"。

朱载堉是明太祖朱元璋九世孙，史称郑端清世子（"郑"是封邑，"端清"是谥号，"世子"是爵位）。其父郑恭王朱厚烷折节下士，忠厚直言，极有操守。明世宗修斋醮，诸王争遣使进香，唯朱厚烷不遣，而且于1548年上疏直谏皇上修德讲学，别兴"神仙、土木"之事，直言皇上简礼、怠政、饰非、恶谏，触怒了嘉靖皇帝。1550年，朱厚烷的堂叔朱祐橎为了恢复其父爵位，乘机诬告朱厚烷叛逆，罗织四十罪，朱厚烷被革去王爵，软禁到安徽凤阳高墙内17年。朱载堉从小受家教熏陶，文雅敦厚，聪慧过人，熟读诗词，尤嗜音律和数学。15岁（虚岁，下同）时受父牵连，被革除世子冠带，但他"笃学有至性，痛父非罪见系，筑土室宫门外，席藁独处"。1567年朱厚烷被隆庆皇帝赦释复爵，他也恢复世子冠带，随父回王府居住。在这蒙难的17年里，三岁丧母的朱载堉既不能见到远在凤阳的父亲和继母，按宗藩条例也不能随意与近在王府内的祖母和弟弟相见，但他幽居土屋，醉心研读前人的经书、乐学、律学、数学著作，还到少林寺向小山宗师和名僧松谷求教，1560年完成了研究古代乐器的著作《瑟谱》。

朱厚烷颇好音律并有深入的研究，回到王府后，他将自己在凤阳所写《操缦谱稿》交朱载堉润色，并指导他进一步研究音律，指出："律由声制，非由度出"，"理有无穷，故其知有不尽"。"黄钟逆生仲吕，循环无端"，"笙琴互证，则知三分损益法非精义也。"朱载堉在《律吕精义·序》中说，他听父亲的教诲后，**"潜思有年。用力既久，豁然遂悟不用三分损益**

之法"。他在 1567 年到 1580 年的 14 年间, 阅读了有关乐律的大量著作; 运用算盘做了大量繁复的计算, 找到了可以旋宫转调的数学方法; 并且采长竹、集黍粒, 做律管实验, 终于积几十年之功, 完成了《律学新说》《律吕精义》《乐学新说》《旋宫合乐谱》《小舞乡乐谱》等书的初稿。1581 年, 46 岁的他为其著《律历融通》作序, 该书附《音义》一卷, 阐述了十二平均律的计算方法, 其专门阐述十二平均律理论的著作《律吕精义》列为《律历融通》的参考书。1584 年, 他又将其研究律学与度量衡关系的旧作《黍谱》《度谱》《量谱》《权谱》删繁摘要合为一书, 更名为《律学新说》。

朱载堉在研究音律的同时, 置当时朝廷严禁民间私习天文私造历法于不顾, 在深入研究前人天文历法著作的基础上, 完成了《律历融通》(含《黄钟历法》和《黄钟历议》各二卷)、《圣寿万年历》二卷、《万年历备考》三卷。以上三部著作统称《历书》。他建立了回归年长度古今变化的新公式, 依此计算 1581 年和 1554 年的回归年长度值, 与根据现代天体力学推导得到的理论公式计算的结果, 相差仅分别为 21 秒和 17 秒; 他还利用元代天文学家郭守敬发明的用来测定正南北方向的仪器 "正方案", 巧妙设计, 测出北京的地理纬度为 40°.16, 地磁偏角为 4°48'。这些成果都超过了前人, 而所得地磁偏角更是中国历史上第一个具体精确的数值记载 (参看 [6] 183–208)。

1595 年 6 月，朱载堉将《历书》进献朝廷。两个月后，朝廷知会天下王府进献书籍于国史馆，以修大明正史。朱载堉"虑恐誊写舛误，就令画图刊版"，费时 11 年才将其乐、律、算、舞、历五大类著作全部雕版、印刷、装帧。1606 年 8 月 12 日，他将凝聚自己毕生心血的巨著《乐律全书》献给朝廷，全书包含了《律吕精义》《律学新说》《算学新说》《乐学新说》《乐舞全谱》(共四种乐谱，三种舞谱) 等 11 部著作共 38 卷，以及《历书》3 部共 9 卷附《音义》1 卷，共计 14 部著作 48 卷。

1591 年，朱载堉的父亲去世，按规定，他应该继承郑王的王位。可是他对此早无兴趣，15 年内七次上疏恳辞王爵，且提出将其爵位让给曾诬告其父的朱祐橏之孙，直至 1606 年神宗皇帝才下旨批准，称其"让国高风，千古载见"。朱载堉在第七次上疏前，就已移居于距沁阳约 20 千米的九峰山下，今沁阳市王庄镇东坡村，田间耕作，灌桑、牧豕、凿池、理花竹，并在 1610 年完成了《律吕正论》《嘉量算经》和《圆方图解》。

朱载堉不仅是乐律学家，还是一位音乐家。他一生谱写的曲子已难统计，仅《乐律全书》所载，他为《诗经》等谱曲的就有 30 余首，而且同一歌名有多曲，如《关雎》就有操缦谱 (相当于今练习曲)、旋宫谱、合乐谱 (今称总谱)、律吕字谱、琴谱、瑟谱。他完成了《操缦古乐谱》《小舞乡乐谱》《乡饮诗乐谱》《旋宫合乐谱》《旋宫琴谱》《旋宫谱六十调指法》等著作。《律吕精义·外篇》卷八中的《立我烝

(zheng) 民》合乐谱，既有主唱 (或领唱) 的词与曲，又有 "和唱" (或合唱、齐唱) 的词与曲；既有琴谱、瑟谱，又有鼓板节奏谱，鼓板谱中示出搏、拊、㨉、镛、钟、磬和敔的律位；参与演奏的乐器包括筝、笙、埙、箫、龠 (yuè)、篪、笛、管。他还系统地提出了音乐教学法。

朱载堉在其《六代小舞谱》《小舞乡乐谱》《二佾缀兆图》《灵星小舞谱》和《律吕精义·外篇》中，第一次系统、详尽地论述舞蹈，并描绘了 700 多帧图谱，600 多幅栩栩如生的人物白描画。

朱载堉还撰写过大量曲词，表达了他对功名利禄的淡泊和对现实生活中丑陋现象的批判。后人将其中 73 首编成的《醒世词》广泛流传。如他的《戒得志》："君子失时不失相，小人得志肚儿胀。昨日无钱去做贼，今日有奶便呼娘；真臭物，实荒唐。君不见，街前骡子学马走，到底还是驴儿样!"《十不足》则对贪得无厌者作了惟妙惟肖的刻画："终日奔忙只为饥，才得有食又思衣。置下绫罗身上穿，抬头又嫌房屋低。盖下高楼并大厦，床前缺少美貌妻。娇妻美妾都娶下，又虑门前无马骑。将钱买下高头马，马前马后少跟随。家人招下数十个，有钱没势被人欺。一铨铨到知县位，又说官小势位卑。一攀攀到阁老位，每日思量要登基。一日南面坐天下，又想神仙来下棋。洞宾与他把棋下，又问哪是上天梯。上天梯子未做下，阎王发牌鬼来催。若非此人大限到，上到天梯还嫌低。"

1611 年 5 月 18 日朱载堉辞世，享年 76 岁。

朱载堉的新法密率诞生后，在国内受到的多是冷落和反对。在朝政腐败、内忧外患的晚明，朱载堉的著作一直被封存于史馆，无人问津。1713 年康熙帝御定《律吕正义》，仅肯定了朱载堉的"横黍百粒当纵黍八十一粒"，其余引用不仅不指明出处反而篡改。1772—1789 年间，乾隆帝组织编纂《四库全书》，乾隆及其臣儒对朱载堉的新法横加批驳多达一万五千字。乾隆说"载堉所著《乐律全书》于定律审音之道不能会通原委，误解古书，师心臆说，是以吕律杂用，清浊不分，其踳 (chǔn，舛谬杂乱) 驳不可枚举。""束之高阁正相当"。明清两代学者中，只有清代著名历算家、乐律学家江永 (1681—1762) 一人是朱载堉的知音、知己。江永毕生研究乐律，许多疑问直到他 77 岁第一次读到朱载堉的《乐律全书》时才找到答案。他在《律吕阐微》中说：**"余读之，则悚然惊、跃然喜，不意律吕真理真数即在 '栗氏为量，内方尺而圆其外' 一语，…… 夫理数之真，潜伏千数百年，至载堉乃思得之。…… 盖愚于律学研思讨论者五六十年，…… 犹逊载堉一筹，是以一见而屈服也。"** 并指出：**"载堉之书，后人多未得其意，或妄加评隙。"** 1933 年，语言学家刘复 (刘半农，1891—1934) 撰写了《十二等律的发明者朱载堉》一文，慨然指出**"惟有明朝末年，朱载堉先生所发明的十二等律，却是一个一做就做到登峰造极的地步的大发明。…… 全世界文明各国的乐器，有十分之八九都要依着他的方法造。…… 这种发明，恐怕至少也可**

以比得上贝尔的电话和爱迪生的留声机罢"（载《庆祝蔡元培先生六十五岁生日论文集》）。可惜刘半农的不平很快就被淹没在兵荒马乱的喧嚣声中。

与此相映的是，在西方，朱载堉享有很高的声誉。1863 年，德国物理、生理学家亥姆霍兹在《音感——音乐理论的生理基础》(也简称为《论音感》)中写道："**在中国人中，据说有一个王子叫载堉的，他在保守派音乐家的反对声浪中，倡导七声音阶。把八度分成十二个半音以及变调的方法，也是这个有天才和技巧的国家发明的**。"(H. Helmholtz, On the Sensation of Tone as a Physiological Basis for the Theory of Music, Trans by A. J. Ellis, 4th ed., New York Dover Pub., INC, 1954, p. 258) 李约瑟博士高度评价"**朱载堉对人类的贡献是发现了将音阶调谐为相等音程的数学方法**。"强调指出："**毫无疑问，首先从数学上系统阐述平均律的荣誉应当归之于中国**。"并慨叹"**朱载堉的著作尽管受到极高评价，但他的理论在本国却几乎未付诸实践**"([7] 220, 228; 中译本 208, 214)。

新中国成立后，朱载堉的成就与对世界的贡献得到重视和比较深入的研究，1991 年建立朱载堉纪念馆，2001 年 6 月 25 日，"郑藩王乐府旧址"由国务院公布为全国重点文物保护单位。纪念馆位于河南省沁阳市北寺街薛街 1 号，分四个展厅介绍朱载堉生平及成就。遗憾的是，在我国了解朱载堉的人仍然太少。

图 17　朱载堉纪念馆

朱载堉如何计算出十二平均律

朱载堉当时是用他自制的一个 81 档双排位大算盘 (图 18) 进行计算的。他在其《**律吕精义·内篇**》卷一《**不用三分损益第三**》中，精细地叙述了十二平均律生成的过程："度本起于黄钟之长，则黄钟之长即度法一尺。命平方一尺为黄钟之率。东西十寸为句，自乘得百寸为句幂; 南北十寸为股，自乘得百寸为股幂; 相并共得二百寸为弦幂。乃置弦幂为实，开平方法除之，得弦一尺四寸一分四厘二毫一丝三忽五微六纤二三七三〇九五〇四八八〇一六八九，为方之斜，即圆之径，亦即蕤宾倍律之率; 以句十寸乘之，得平方积一百四十一寸四十二分一十三厘五十六毫二十三丝七十三忽〇九五〇四八八〇一六八九为实，开平方法除之，得一尺一寸八分九厘二毫〇七忽一微一纤五〇〇二七二一〇六六七一七五，即南吕倍律之率；仍以句十寸乘之，又以股十寸乘之，得立方积一千一百八十九寸二百〇七分一百一十五厘〇〇二毫七百二十一丝〇六十六忽七一七五为实，开立方法除之，得一尺〇五分九厘四毫六丝三忽〇九纤四三五九二九五二六四五六一八二五，即应钟倍律之率。盖十二律黄钟为始，应钟为终，终而复始，循环无端。此自然真理，犹贞后元生、坤尽复来也。是故各律皆以黄钟正数十寸乘之为实，皆以应钟倍数十寸〇五分九厘四毫六丝三忽〇九纤四三五九二九五二六四五六一八二五为法除之，即得其次律也。安有往而不返之理哉。"

图 18　大算盘

上述 437 字说明了十二平均律的计算方法、步骤、结果以及定义。用现在的数学语言表述就是：以黄钟长 1 尺为勾、股，则弦的平方为 2 尺^2 或 200 寸^2，

将 2 开方, 算得

  1.4142 1356 2373 0950 4880 1689,

为倍蕤宾;

 再将所得开方, 算得

  1.1892 0711 5002 7210 6671 7500,

为倍南吕;

 再将所得开立方, 即 $\sqrt[12]{2}$, 算得

  1.0594 6309 4359 2952 6456 1825,

为倍应钟。

 以黄钟之律为始, 记倍黄钟为 $T_1(=2)$, 其余十二律均可按下面的公式得到:

$$T_{n+1} = \frac{T_n}{\sqrt[12]{2}}, \quad n = 1, 2, \cdots, 12。$$

在得到倍应钟 T_{12} 后, 再按上述规则求下一律, 就得到

$$T_{13} = \frac{T_{12}}{\sqrt[12]{2}} = 1,$$

也就是返回到黄钟, 从而彻底地解决了 "不能还生黄钟" 的千古难题。

 朱载堉将 $\sqrt[12]{2}$ 称为 "**密率**"。将他发明的方法概括为: "**创立新法, 置一尺为实, 以密率除之, 凡十二遍**" (《律学新说》卷一), 并且求得了三个八度 36 个音律的值, 每一律都精确到 25 个有效数字。低八度的音用 "倍" "浊" 表示, 高八度的音用 "半" "清" 表示。他给出的基本八度的 13 个律值为

 正黄钟 1.0000 0000 0000 0000 0000 0000

 倍应钟 1.0594 6309 4359 2952 6456 1825

倍无射 1.1224 6204 8309 3729 8143 3533

倍南吕 1.1892 0711 5002 7210 6671 7500

倍夷则 1.2599 2104 9894 8731 6476 7211

倍林钟 1.3348 3985 4170 0343 6483 0832

倍蕤宾 1.4142 1356 2373 0950 4880 1689

倍仲吕 1.4983 0707 6876 6814 9879 9281

倍姑洗 1.5874 0105 1968 1994 7475 1706

倍夹钟 1.6817 9283 0507 4290 8606 2251

倍太蔟 1.7817 9743 6280 6786 0948 0452

倍大吕 1.8877 4862 5363 3869 9928 3826

倍黄钟 2.0000 0000 0000 0000 0000 0000

需要说明的是，为什么朱载堉在开平方之前要
"以句十寸乘之，得平方积"？在开立方之前要 **"仍以
句十寸乘之，又以股十寸乘之，得立方积"**？这是因
为我国古代传统数学将 "平方" 与面积相关联，将
"立方" 与体积相关联，所以在施以开方演算之前要
先化为面积或体积。至于为什么一开始朱载堉要将
黄钟长度 1 尺通过勾股定理化为弦幂再开方？这是
因为当时中国还没有 "八度" 的概念，难以说明为什
么要将 2 开方，为此他在此段引文的前面说：**"新法
算律与方圆皆用句股术。其法本诸《周礼·栗氏为
量》'内方尺而圆其外'。内方尺而圆其外，则圆径与
方斜同，知方斜则知圆之径矣**。" 这样处理，是为了
利用《周礼》来增加大家对新法密率的认同，因为
《周礼》是记载西周典章制度的典籍，被历代帝王作
为自己制定礼仪法规的根据。

另外需要指出，从朱载堉《算学新说》关于十二

律之间规律的论述中可以看到, 他已经掌握了将首项与末项之积开平方得到比例中项, 以及已知一个由四项组成的等比级数的首项和末项, 求中间两项的规律 (详见 [6] 171—174)。

朱载堉著作中出现的十二平均律各律数值, 有 25 位数、18 位数、9 位数和 8 位数等四种, 表 12 是 8 位数的十二平均律数值 (未作四舍五入)。

表 12　朱载堉十二平均律 (记 $q = \sqrt[12]{2} \approx 1.05946309$)

律名	倍律计算	正律	现音名
黄钟	$q^{12} = 2$	1	C
大吕	$q^{11} \approx 1.8877486$	0.9438743	#C
太簇	$q^{10} \approx 1.7817974$	0.8908987	D
夹钟	$q^9 \approx 1.6817928$	0.8408964	#D
姑洗	$q^8 \approx 1.5874010$	0.7937005	E
仲吕	$q^7 \approx 1.4983070$	0.7491535	F
蕤宾	$q^6 \approx 1.4142135$	0.7071067	#F
林钟	$q^5 \approx 1.3348398$	0.6674199	G
夷则	$q^4 \approx 1.2599210$	0.6299605	#G
南吕	$q^3 \approx 1.1892071$	0.5946035	A
无射	$q^2 \approx 1.1224620$	0.5612310	#A
应钟	$q \approx 1.0594630$	0.5297315	B
清黄钟	1	0.5	C¹

朱载堉如何破解律度换算难题

由于中国古代纵黍之律为九进制, 横黍之度为十进制, 如何将两种进制所得到的小数进行互换? 这在古代是一大难题, 被称为 "万古之惑"。例如, 三分损益之大吕纵黍律长八寸三分七厘六毫, 横黍度长九寸三分六厘四毫四丝二忽。用现代数学语言表述, 就是大吕按九进制的律长为 0.8376 尺, 而按十进制的度长为 0.936442 尺, 因为

$$(0.8376)_9 = 8 \times \frac{1}{9} + 3 \times \frac{1}{9^2} + 7 \times \frac{1}{9^3} + 6 \times \frac{1}{9^4}$$
$$= 0.936442615 \cdots,$$

因此二者是一致的。但对于古人来说, 如何转换计算的确是太难了。

朱载堉认为: "自汉至今, 千数百年, 造律不成, 盖由律度二尺纵横二黍无分别耳。" 为破解这一问题, 他在《律学新说》中创造了 "从微至著, 用九乘除" 的数制转换方法: 凡由纵黍之律求横黍之度者 (即凡将九进制数化为十进制数), 均用九归, 从微至著, 反复相求。"归" 即 "除"。朱载堉以大吕为例给出计算步骤如下:

置八寸三分七厘六毫在位, 先从末位毫上算起, 用九归一遍, 得六毫六丝六忽奇; 却从次位厘上算起, 再九归一遍, 得八厘五毫一丝八忽奇; 又从次位分上算起, 再九归一遍, 得四分二厘七毫九丝八忽奇; 又从首位寸上算起, 再九归一遍, 得九寸三分六厘四毫四丝二忽奇。余律皆放 (仿) 此。

用算盘演算的过程为 (下标横线的数字不参与算盘演算):

九归一遍 $\underline{8.376} \div 0.9 = \underline{8.37666}$;
再九归一遍 $\underline{8.37666} \div 0.9 = \underline{8.38518}$;

再九归一遍 $\underline{8}.38518 \div 0.9 = \underline{8}.42798$;

再九归一遍 $8.42798 \div 0.9 = 9.36442$。

整个演算过程用一个式子表示就是 (单位为尺):

$(0.8376)_9$

$= \{[(0.0006 \div 0.9 + 0.007) \div 0.9 + 0.03] \div 0.9 + 0.8\} \div 0.9$

$= 0.936442$,

而上式中两个等号之间的算式, 也就是

$$0.0006 \div (0.9)^4 + 0.007 \div (0.9)^3 +$$
$$0.03 \div (0.9)^2 + 0.8 \div 0.9$$
$$= 6 \times \frac{1}{9^4} + 7 \times \frac{1}{9^3} + 3 \times \frac{1}{9^2} + 8 \times \frac{1}{9}。$$

这正是现代的算法。由此可见, 朱载堉的算法和现代数学理论是完全一致的。

朱载堉将十进制数化为九进制数的方法是: **凡由横黍之度求纵黍之律者, 均用九因, 反复相求**。"因"即 "乘"。仍以大吕为例, 密律之大吕横黍度长九寸四分三厘八毫七丝四忽, 纵黍律长八寸四分四厘零六丝七忽, 亦即大吕按十进制长为 0.943874 尺, 按九进制长为 0.844067 尺, 换算步骤如下:

置九寸四分三厘八毫七丝四忽为实, 初九因至寸位住, 得八寸; 又九因至分位住, 得四分; 又九因至厘位住, 得四厘; 又九因至毫位住, 得零毫; 又九因至丝位住, 得六丝; 又九因至忽位住, 得七忽。凡九因六遍, 共得八寸四分四厘零六丝七忽, 为大吕, 余律皆放此。

算盘演算的过程为 (下标横线的数字取出):

$0.943874 \times 0.9 = 0.\underline{8}494866$ 尺, 取寸位 8

$0.0494866 \times 0.9 = 0.04\underline{4}53794$ 尺, 取分位 4

$0.00453794 \times 0.9 = 0.004\underline{0}84146$ 尺, 取厘位 4

$0.000084146 \times 0.9 = 0.000075731$ 尺, 取毫位 0

$0.000075731 \times 0.9 = 0.0000\underline{6}8158$ 尺, 取丝位 6

$0.000008158 \times 0.9 = 0.000007342$ 尺, 取忽位 7

共得 0.844067 尺。

上述计算的原理用现代数学语言表述, 其实质是: 设

$$0.943874 = (0.a_1 a_2 \cdots a_6)_9, \qquad (1)$$

上式右端是一个九进制数, 其中六个数码为 $0, 1, \cdots,$ 8 中的某个数字。因为

$$(0.a_1 a_2 \cdots a_6)_9 = \frac{a_1}{9} + \frac{a_2}{9^2} + \cdots + \frac{a_6}{9^6},$$

如果以 9 乘 (1) 式两边, 则得 (因 (1) 式两边都只有 6 个有效数字, 在计算中只需保留 6 个有效数字):

$$8.494866 = a_1 + (0.a_2 \cdots a_6)_9, \qquad (2)$$

因此可见 $a_1 = 8$。朱载堉以 0.9 去乘, 是将数 8 位于 10 分位, 即保留在 "寸位"。将 (2) 式两边去掉整数部分, 然后再乘 9, 即可得到 $a_2 = 4$, 如此类推。

朱载堉正是在对三分损益法及古代黄钟律计算的彻底剖析中, 深刻地看清了其中存在的问题和不足, 促使他另辟蹊径, 创立了建立在十进制基础上的十二平均律。而朱载堉关于不同进位制换算问题的

研究,比德国著名数学家莱布尼茨 1701 年发现二进制要早 120 多年。

朱载堉首创十二平均律管弦乐器

　　一个音律体系需要有确定音高标准的定律器,欧洲是在 1711 年发明音叉来确定音高标准的。朱载堉为了验证由密率生成的音律体系,创制了既是十二平均律音高标准的定律器又能作为乐器演奏的**律准** (弦线式定音器,又称**均准**) 和**律管** (管式定音器),并且首创或改造了十二平均律乐器: 琴、瑟、箫、笛、笙、埙、钟、磬。

　　朱载堉在《律学新说》中详述了他创制的律准和调音定律方法,并附有小样 (图 19)。律准张 12 弦,

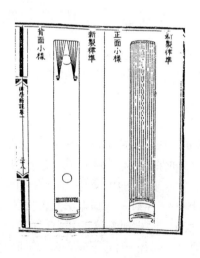

图 19　朱载堉律准

列 12 徽, 是近代钢琴调音定律的始祖, 也是世界上最早的平均律弦乐器。

他在《律吕精义》中列出了 36 根律管 (倍律管、正律管和半律管各 12 根) 的长度、内径、外径和三组律管的小样 (图 20 为倍律律管), 详细叙述了律管的选材和制作方法, 特别是他通过实验指出: **长度折半的律管与原律管发出的音并不和谐** (不是八度而是约略为大七度), 从而**纠正了**自古以来中外音乐家一直确信的折半的管会和折半的弦一样发出比原管高八度音的结论。而西方的音乐家、声学家直到 19 世纪中期还恪守古希腊的 **"弦管同长同音"** 的信条。朱载堉不仅在实践中发现了管内振动的空气柱会稍微超出管长以致管音稍低的现象, 即

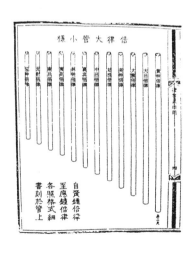

图 20　朱载堉倍律律管

现代声学所说的 "**管乐器的末端效应**",进而得到了通过将管口校正使得管律与弦律一致的方法,而且从理论上解决了如何进行管口校正。他在《律吕精义·内篇》卷二给出的律管内径的算法,实质上就是他的 36 律律管内径构成一个公比为 $\sqrt[24]{2}$ 的等比级数。这一算法可以从理论上证明是正确的 (参看 [6] 92–104)。比利时声学家、布鲁塞尔乐器博物馆馆长马容 (V. C. Mahillon, 1841—1924) 按朱载堉的数据复制了倍、正、半三律的黄钟管,并测音证实了它们的发音成八度关系。1890 年他在《布鲁塞尔皇家音乐年鉴》第 188 页上由衷地写道: "**在管径大小这一点上,中国的乐律比我们更进步了,我们在这方面,简直一点还没有讲到。王子载堉虽然没有解释他的学理,只把数字给了我们,我们却不难推想得之;而且我们已照样制作了律管,实验所得的结果可以证明这学理的精确**"。马容没有看到或者看不懂朱载堉关于管口校正的论述,因此认为朱载堉没有解释他的学理,但他的结论是中肯的。

五、数学阐明了声学的基础

声音是物体振动产生的，声音在空气中以波的形式传播，对此，古代中外学者就有所认识。早在公元前 500 年前后中国春秋末至战国初成书的《周礼·考工记·凫氏》中，关于钟的构造就有 **薄厚之所震动，清浊之所由出** 的论述。古希腊哲学家亚里士多德 (公元前 384 — 前 332) 也在其《灵魂论》中讨论过声的产生、传播、反射。但无论中外，在古代都既没有频率的概念，也没有声速的概念，当然也说不清声音产生和传播所遵循的规律，那时的声学只是经验的、定性的。音乐的实践活动促进了科学家对声学理论的研究，17 世纪以来的 500 年里，一代代数学家、物理学家、生理学家们不断探索，对 "声音" 的认识也越来越深入、透彻。

阐明声音产生和传播的规律

真正以科学方法认真研究物体振动及其所发声音的，始于意大利科学家伽利略。他用 30 多年时间，深入研究了单弦的振动和发声关系，提出了频率的

概念 (当时称为振动数), 研究了弦的共振现象, 取名为同情振动 (这与我国北宋科学家沈括 (1031—1095) 所称 "应声" 极为相近)。1638 年他在其名著《关于两门新科学的对话》中, 生动地记述了他是在用尖锐的凿子刮除黄铜板上污点的过程中, 发现磨刮速度的快慢会产生高低不同的声音和疏密不等的刮痕, 进而通过刮痕来考察振动的频率, 并且与小竖琴弦所发声音进行了对比; 他明确指出, 音提高八度, 频率增加一倍, 提高五度, 频率为原来的 $\frac{3}{2}$; 指出在相同张力下, 频率与弦长成反比, 与弦的密度的平方根成反比。

牛顿最先从理论上研究了声音传播的速度, 在其 1687 年出版的名著《自然哲学的数学原理》中, 他将声比拟作水波, 推导出声速等于压力与密度之比的平方根, 但他的推导非常繁复, 难以看懂。1749 年, 欧拉用明白确切的方法推导出牛顿的公式; 1817 年, 法国数学家拉普拉斯 (Laplace, 1749—1827) 又对牛顿的公式做了修正。

与伽利略同时及在其之后, 不少人对弦的振动做了大量研究工作。1636 年, 法国学者梅森在其著作《和谐通论》中发表了估算弦振动频率的经验公式: 弦振动的频率与弦的张力的平方根成正比, 与弦长及弦的密度的平方根成反比。法国科学家索沃 (J. Sauveur, 1653—1716) 深入研究了音调和频率的关系; 1713 年, 英国数学家泰勒第一次求得弦振动的初步严格解, 由于缺乏偏微分方程的工具, 未得到全解, 只有基频。全解是瑞士数学家丹尼尔·伯努

利、欧拉和法国数学家达朗贝尔求得的。1747 年达朗贝尔得到了一维波动方程

$$\frac{\partial^2 u}{\partial t^2} - a^2 \frac{\partial^2 u}{\partial x^2} = 0$$

的通解 $u = f_1(x - at) + f_2(x + at)$，揭示了弦上的任意扰动是以行波的形式分向两方传播出去，波速为 a，弦的振动是右行波和左行波的叠加。由此可以得到两端固定的弦振动的规律。1755 年，丹尼尔·伯努利进一步指出弦振动的解是所有谐波解的叠加。弦振动规律的揭示为弦乐器制作与演奏提供了理论基础。弦乐器在演奏前的调音，是主要依靠听觉和经验来调整弦的张力；而演奏过程，则是让不同长度的弦按照一定的顺序发出预期的声音，只不过提琴、二胡、琵琶等是靠手指来调节发音弦的长度，而钢琴、扬琴、竖琴等则是对已经定音的不同的弦进行敲击或弹拨。

　　1759 年，法国数学家拉格朗日研究了风琴管和其他管乐器的发声；对于管中驻波的研究工作，到 1800 年在实验上和理论上都已比较成熟。法国数学家泊松在 1820 年给出了三维声波和开管、闭管的严格解，并指出将开管一端的边界条件定为声压为零不太恰当，可见他已经意识到管口校正的必要，这个问题直到 1860 年才由亥姆霍兹透彻研究。这些研究为管乐器的制造提供了理论基础。在实际演奏中，管乐器就是通过调整管内空气柱的长度来发出高低不同乐音的，只不过为了调节空气柱长，笛子、唢呐、黑管等是用手指堵住或放开一些孔眼，小号是通过

按键, 长号则是伸缩 U 形管的滑管。

鼓和锣是靠膜和板的振动发声的, 而膜和板的振动远比弦的振动复杂。密度、张力和长度给定的弦, 它的固有频率只有一个, 泛音的频率是基音频率的整数倍, 所以产生的是和谐的声音。而板则不同, 板的固有频率非常多, 即使敲击一块形状规则、厚度和密度都均匀的板, 各种频率的振动也会一齐产生, 这些频率之间又不和谐, 所以发出的是噪音 (参看 [4] 19–21; 56–58)。

薄膜振动问题归结为在一定的定解条件下求解二阶偏微分方程。最早研究薄膜振动问题的是欧拉, 他给出了薄膜的振动方程。1829 年, 泊松研究了均匀张力下四边固定的矩形均匀薄膜的振动问题, 求得了它的解。法国数学家拉梅 (Lamé, 1795—1870) 解决了三角形薄膜的振动问题, 德国数学家克莱布施 (Clebsch, 1833—1872) 于 1862 年解决了圆形薄膜的振动问题。亥姆霍兹从电磁波的波动方程出发, 分离变量后得到现在通称的亥姆霍兹方程

$$\nabla^2 A + k^2 A = 0,$$

其中 ∇^2 是拉普拉斯算子, A 是波动的振型 (或称固有振型), k 是该振型对应的频率 (或称固有频率)。这个方程不仅适用于三维的电磁波, 也适用于二维的薄膜振动和一维的弦振动。

弹性薄板振动问题归结为在一定的定解条件下求解四阶偏微分方程。自学成才的法国女数学家热尔曼 (S. Germain, 1776—1831) 最先开始了相关理

论的研究, 1850 年, 德国物理学家基尔霍夫 (G. R. Kirchhoff, 1822—1887) 求得了圆板振动问题的解, 此后很多数学物理学家对弹性薄板振动的问题做了深入的研究。

弹性薄板和薄膜具有多个固有频率的特性, 被用来作为乐器共鸣体的材料。弦乐器都有一个共鸣体, 如小提琴的音箱、二胡的琴筒, 吉他、琵琶、古琴等弹拨乐器的琴身, 钢琴的音板等。这是因为弦很细, 对弦进行弹拨或用弓拉奏, 带动的空气少, 所以弦发出的声音就小, 又因为传播出来的声音小, 因此弦自己振动的能量衰减得就慢, 演奏快节奏的曲子就会出现音的干扰。共鸣体的作用是既要使得弦产生的振动能量能够高效地传播出去, 又能够把弦发出的不同音高、不同强度、不同持续时间的乐音均衡地不失真地传播出去。这就要求共鸣体在受激励后能够产生各种谐波, 使得与弦振动一致的谐波因共振而得到放大, 而不一致的谐波则很快衰减掉。弹性薄板和薄膜正因为具有这样的特性, 所以大部分弦乐器都选择板 (如吉他、琵琶、阮等)、壳 (如提琴类乐器等) 或膜 (如二胡等) 作为共鸣体的主要部件。

以上理论研究工作, 都是把声波当作线性过程, 且假设所有参量都非常小。如果参量 (如压力、密度、振动速度等) 变化相当大, 就会出现非线性现象。欧拉在 1756 年的著名论文《论声的传播》中首先考虑到这个问题, 1859 年德国数学家黎曼 (G. F. B. Riemann, 1826—1866) 和英国数学家厄恩肖 (S.

Earnshaw) 分别独立地得到大振幅声波的表达式和行波解。有关非线性声学的研究到 20 世纪才真正开展。

声音的交混回响是音乐厅、剧院等建筑设计中必须考虑的问题。对此，中国古代战国时期的《列子》就有 "**余音绕梁**" 之说，6 世纪梁朝周兴嗣《千字文》中有 "**空谷传声，虚堂习听**" 之句，回声与混响已为常识。西方对混响问题的研究较晚，1853 年美国物理学家伍普汉 (J. B. Upham) 注意到混响问题；1856 年美国物理学家亨利 (J. Henry, 1797—1878) 做了研究，但只提出一些定性的建议；直到 1900 年赛宾发表题为《混响》的论文，定量地给出了赛宾混响公式，才得到解决。

上述一系列工作阐明了声音产生和传播的规律，给音乐学提供了精确的理论基础。19 世纪末，声学基本理论已发展成熟，1877 年，英国物理学家瑞利 (Rayleigh, 1842—1919) 出版两卷本巨著《声学理论》，集前人研究之大成，总结了弦、板、管的振动与发声，以及声音的传播与测量等问题，被视为线性振动理论的经典著作。1936 年莫尔斯 (Morse) 又进一步完成了名著《振动和声》。

20 世纪，电声学、气流声学、非线性声学迅速发展，这一切也促进了音乐学的进一步发展。20 世纪 60 年代，计算数学产生了有限单元法，人们利用计算机和有限单元法对乐器进行综合分析研究，例如对小提琴包括琴弦、琴身和琴内空气的振动一起来进行计算分析。而对声学发展推动最大的还是数学与计算机相结合的产物: 快速傅里叶分析。

揭开乐音形成的奥秘

振动是周期运动, 一个持续的做周期运动的乐音究竟是怎样形成的? 为什么对笛、箫的吹口连续吹气, 气足够长, 声音即可延续足够长; 用弓持续拉提琴、二胡, 弓足够长, 弦就会不断振动? 换句话说, 单调的口风和弓的平动为什么能产生周期运动呢? 对于这个问题, 直到 19 世纪末人们还无法回答。

1881—1886 年间, 法国数学家庞加莱 (Poincaré, 1854—1912) 在深入研究天体运动的基础上, 发表了题为《微分方程所确定的曲线》的系列论文, 开创了微分方程定性理论的研究。

1928 年, 苏联物理家安德罗诺夫 (A. A. Андронов, 1901—1952) 发表论文《庞加莱的极限环和振动理论》, 指出在无线电振荡器中系统自身激发的振荡, 可以用庞加莱的极限环作为数学描述, 并在此基础上引进了在非线性系统中存在 "自激振动" 的概念。这种自激振动的振幅、周期均与初始条件无关。1937 年他又与维特、哈依金合著《振动理论》, 做了进一步的阐述。

德国数学家霍普夫 (E. Hopf, 1902—1983) 对安德罗诺夫的自激振动概念做了数学上的概括, 即现今所说的安德罗诺夫 – 霍普夫分支 (分岔)。1942 年, 他发表论文《微分方程组从平衡解到周期解的分支》, 揭示了在非线性动力系统中, 当系统参数取值小于某一临界值时, 系统的平衡态是渐近稳定的,而当参数越过该临界值时，系统的平衡态失稳而产生一个极限环。

极限环为周期解，因此，霍普夫分支理论揭开了平衡解可以转化为周期解的奥秘。弓弦乐器、管乐器、簧乐器的发声都是自激振动，由平动转化为周期运动的根本原因正在于此。

六、数学揭示了乐音的本质

频率, 基音、泛音, 谐音

声音的高低与发声体 (如弦、管) 的长度成反比, 当两条弦的长度成正整数比时, 它们发出的音听起来是和谐的, 这些规律古代学者们是通过感官发现的。古人没有频率的概念, 直到伽利略做钟摆实验时将单位时间内振动的次数作为频率, 才有了**频率**概念。18 世纪初, 英国数学家泰勒得到了弦振动频率 f 与弦长 l 成反比的计算公式

$$f = \frac{1}{2l}\sqrt{\frac{T}{\rho}},$$

其中 ρ 为弦的密度, T 为弦中的张力。

实验证明, 一根两端固定的弦的自由振动是一系列不同振型的复合。如图 21 所示, 除了全弦振动产生**基音**外, 它的各部分也在振动而产生**泛音**。$\frac{1}{2}$ 段弦振动产生第 1 泛音, 弦的中点是其节点 (不动点); $\frac{1}{3}$ 段弦振动产生第 2 泛音, 弦的三分点是其节点 …… $\frac{1}{n}$ 段弦振动产生第 $n-1$ 泛音, 弦的 n 分

点是其节点。

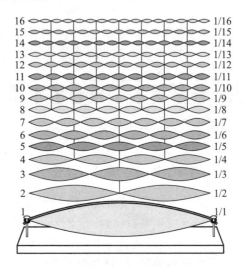

图 21 两端固定弦振动的基音和泛音振型

第 n 泛音的频率值是基音频率值的 $n+1$ 倍。基音和第 1 泛音, 第 1 泛音和第 3 泛音的频率比都是 $1:2$, 都构成纯八度音程; 第 1 泛音和第 2 泛音的频率比为 $2:3$, 它们构成纯五度音程; 第 3 泛音和第 4 泛音的频率比为 $4:5$, 它们构成大三度音程。一般乐器, 自第 15 泛音往后几乎听不到, 而通常可以只考虑到第 8 泛音。

基音和泛音又统称为**谐音**, 基音是第一谐音或一次谐音, 第 n 泛音称为第 $n+1$ 谐音, 或 $n+1$ 次谐音。

数学中著名的调和级数 $\sum\limits_{n=1}^{\infty} \dfrac{1}{n}$ 的定名, 就源于

泛音序列, 在英文中, 泛音序列与调和级数都是 harmonic series。作为形容词的 harmonic, 有谐和的、和声的、调和的含义。

简 谐 振 动

物体在一定位置的附近做来回往复的运动, 称为**机械振动**。如果每隔一个固定的时间 T, 运动状态就完全重复一次 (完成一次振动), 则称为周期性的机械振动, 这一固定时间 T 称为振动的周期。单位时间内振动的次数称为频率, 常用 f 或希腊字母 ν 表示, 单位为赫兹 (Hz)。显然, $\nu = \dfrac{1}{T}$。

设一质点沿一条直线振动, 如果以其平衡位置为坐标原点, 以该直线为 x 轴, 质点在时刻 t 的位移 x 遵从形如

$$x = A\cos(\omega t + \varphi)$$

的规律, 则称为**简谐振动**。其中 $A > 0$ 称为**振幅**, $\omega = \dfrac{2\pi}{T}$ 称为**圆频率** (2π 秒内质点振动的次数), ω 与频率 f 的关系为 $\omega = 2\pi f$, $\omega t + \varphi$ 称为**相位** (简称相), 当 $t = 0$ 时, 相位 $(\omega t + \varphi) = \varphi$, 所以 φ 称为**初相**, T 为周期。因为

$$\sin\left(\omega t + \varphi + \frac{\pi}{2}\right) = \cos(\omega t + \varphi),$$

所以也可以说简谐振动是遵循形如 $x = A\sin(\omega t + \varphi)$ 规律的振动。

振动的传播形成**波**, 由简谐振动形成的波称为**简谐波**。

乐器的发声来自振动, 是周期很短 (只有百分之一秒左右) 的周期运动。声带、乐器的振动引起周围空气分子的振动, 从而形成声波向四周传播。和噪音不同, 乐音是听起来和谐、悦耳的声音, **乐音具有周期性**。

以 t 表示时间 (以 s 为单位) 的数值, 由三角函数知识可知, 简谐振动 $x_1 = \sin 2\pi t$, $x_2 = \sin 4\pi t$, $x_3 = \sin 6\pi t$ 的周期分别为 1 s, $\frac{1}{2}$ s 和 $\frac{1}{3}$ s; 频率则分别为 1 Hz, 2 Hz 和 3 Hz。这三个简谐振动的合成: $x = \sin 2\pi t + \sin 4\pi t + \sin 6\pi t$ 的周期为 1 s, 频率为 1 Hz。也就是说, 合成之后的振动频率是由 x_1 也就是由基音决定的。

傅里叶级数揭示了乐音的结构

法国卓越的数学家、物理学家傅里叶, 在从 1799 年到 1822 年对热传导问题长达 20 多年的研究过程中, 发现一些函数可以表示成由三角函数组成的级数, 他根据具体计算和几何直觉断言: 定义在 $(-\pi, \pi)$ 上的任何函数 $f(x)$ 都可以表示为三角级数表达式

$$f(x) = \frac{a_0}{2} + \sum_{n=1}^{\infty}(a_n \cos nx + b_n \sin nx), \quad (1)$$

其中

$$a_n = \frac{1}{\pi}\int_{-\pi}^{\pi} f(x)\cos nx \mathrm{d}x,$$
$$b_n = \frac{1}{\pi}\int_{-\pi}^{\pi} f(x)\sin nx \mathrm{d}x, \quad n = 0, 1, 2, \cdots。$$

92

形如 (1) 式的级数现通称为**傅里叶级数**。

1829 年, 德国数学家狄利克雷 (Dirichlet, 1805—1859) 严格证明了在一定的条件下, 周期函数可以展开为傅里叶级数, 即有下述定理:

设函数 $f(x)$ 以 T 为周期, 在区间 $\left[-\dfrac{T}{2}, \dfrac{T}{2}\right]$ 上至多有有限多个第一类间断点和极值点, 则 $f(x)$ 可展为傅里叶级数

$$f(x) = \frac{a_0}{2} + \sum_{n=1}^{\infty}(a_n \cos n\omega x + b_n \sin n\omega x), \quad (2)$$

其中 $\omega = \dfrac{2\pi}{T}$, 傅里叶系数为

$$a_n = \frac{2}{T}\int_{-\frac{T}{2}}^{\frac{T}{2}} f(x) \cos n\omega x \mathrm{d}x, \quad n = 0, 1, 2, \cdots, (3)$$

$$b_n = \frac{2}{T}\int_{-\frac{T}{2}}^{\frac{T}{2}} f(x) \sin n\omega x \mathrm{d}x, \quad n = 1, 2, \cdots, \quad (4)$$

且级数 (2) 的和在连续点 x 处为 $f(x)$, 在间断点 x 处为 $\dfrac{1}{2}[f(x+0) + f(x-0)]$, 在端点 $x = \pm\dfrac{T}{2}$ 处为 $\dfrac{1}{2}\left[f\left(-\dfrac{T}{2}+0\right) + f\left(\dfrac{T}{2}-0\right)\right]$。

上述定理的物理意义就是: **各种复杂的振动, 是由简谐振动合成的。各种复杂的波是由简谐波合成的。**

(2) 式中的 a_0 是函数 $f(x)$ 在其一个周期上的平均值, 对于乐音而言 $a_0 = 0$。将 (2) 式中的自变量

改写成时间 t, 乐音记为 $y(t)$, 则可以写成

$$y(t) = \sum_{n=1}^{\infty} A_n \sin(n\omega t + \varphi_n), \qquad (5)$$

其中

$$A_n = \sqrt{a_n^2 + b_n^2}, \quad \varphi_n = \arctan \frac{a_n}{b_n}.$$

由此可见, **任何一个乐音, 都是一系列频率不同的纯音的总和**, $\sin \omega t$ 的频率称为基频, 它所产生的纯音即为**基音 (一次谐音)**, $\sin n\omega t$ 的频率是基频的 n 倍, 即为**第 $n-1$ 泛音 (n 次谐音)**。

乐音通常是由几个或多个纯音复合而成的, 即 (5) 式只有有限多项。例如, 图 22 所示的是一把小提琴拉出的一个音的图像 (取自 [16] 图 60):

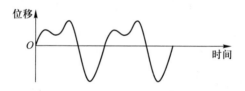

图 22　小提琴拉出的一个音的图像

忽略图形中相对次要的因素, 以 t 表示时间 (以 s 为单位) 的数值, 它可以用数学式表示成

$$y = 0.06 \sin 1000\pi t + 0.02 \sin 2000\pi t + 0.01 \sin 3000\pi t.$$

亦即, 这个音是由频率为 500 Hz 的一次谐波 (基音), 1000 Hz 的二次谐波 (第 1 泛音) 以及 1500 Hz 的三

次谐波 (第 2 泛音)(参看图 23) 复合而成的。图 24 是该乐音的频谱图, 它由三条分立的谱线组成。

在演奏弦乐器时, 通常在弦的 $\frac{1}{7}$ 处弹奏或拉奏, 这是因为, 从图 21 可以看出, 在各次谐波中, 第七、九、十一等次谐波与基音是不和谐的, 因为弦的七分点是第七次谐波的不动点, 而在弦的 $\frac{1}{7}$ 处弹奏或拉

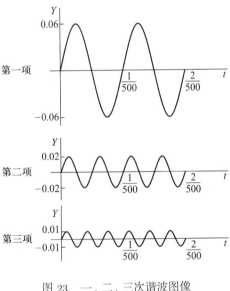

图 23   一、二、三次谐波图像

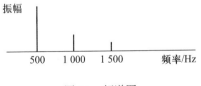

图 24   频谱图

奏, 被扰动的弦在这里振幅最大, 弦振动起来之后, 就会将第七次谐波的影响降低为最小。对于比较细的弦, 有时将击点置于弦的 $\frac{1}{9}$ 或 $\frac{1}{11}$ 处, 也是这个道理。而演奏弦乐器时, 将手指虚虚地按在弦长的 $\frac{1}{2}$ 或 $\frac{1}{3}$ 处, 但不按死, 则可以达到既能发出基音还会有高八度的泛音或高五度的泛音的效果。

乐音三要素

乐音有三个要素: **音调** (音高)、**音量** (响度) 和 **音色** (音质)。

乐音的音调由其频率决定, 而基音的频率决定乐音的频率, 因此**乐音的音调由其基音的频率决定**。

因为纯音的强度 (或能量) 与其振幅的平方成正比, 因此**乐音的音量由其振幅决定**。在日常生活中, 人们常用分贝 (decibel) 即贝尔 (bel) 的十分之一来作为声音强度的单位, 记作 dB。压强变化值为 p 的声音, 其分贝值 $L_p = 20 \lg \frac{p}{p_0}$, 其中 $p_0 = 20$ μPa 是听觉阈, 即正常的人耳能够听到的最微弱声音的压强变化。喷气式飞机起飞时大约产生 2×10^8 μPa 的压强变化, 相当于 140 dB。一般的说话声约为 60 dB, 管弦乐队的音响变化在 $40 \sim 100$ dB, 超过 110 dB 人会感到不舒服。分贝概念的引进, 源于德国生理学家韦伯 (E. H. Weber, 1795—1878) 和其学生费希纳 (G. T. Fechner, 1801—1887) 通过实验发现: 人对重量、声音、亮度、温度等物理量的强度的感知, 不是强度值本身, 而是更接近与强度的对数成正比, 当强度按几何级数增长时, 人的感觉是在按算术级数增长。引进了分贝概念, 一个非常大的比值就可以用一个常用的数量来表示了。

音色是人们区别音调和音量相同的两个声音的主观感觉, 它与多种因素有关。**乐音的音色主要取决于其频谱的结构**。例如在一架钢琴上先同时按下 C 和 c 两个键, 再同时按下 C、c、c^1 三个键, 虽然都听到 do, 但感觉不一样, 这是由于它们虽然基音相同, 但前者只含第一泛音, 后者含第一和第三泛音。乐音不仅与所含泛音的个数有关, 还与泛音的强弱有关。基音和不同泛音的能量比例关系是决定一个音的音色的核心因素。不同的乐器发出的同一音调, 给人们的音感不同, 这与发声的方式有关 (如管乐器、弦乐器和打击乐器); 与乐器制作的材料、材质有关 (如钢琴与手风琴, 京胡与二胡); 与乐器的结构有关 (如笛与箫, 小提琴与大提琴), 但本质上都是由于材料、结构、振动方式等的不同导致了具有相同基音的复合音是由不同个数、不同强度的泛音构成的。例如长笛的声音中谐波成分很少, 主要是以基频为主, 音色类似于纯音; 而小号的声音则含有丰富的谐波成分, 听起来就比较丰满; 以奇次谐波为主而缺乏偶次谐波的声音, 会产生模糊、空虚和暗淡的感觉, 如管风琴、单簧管发出的乐音; 而以偶次谐波为主缺乏奇次谐波的声音, 则给人清晰、明亮的感觉。如果谐波不多, 且位于中低频区, 声音听起来柔和; 如果谐波多, 且中低频谐波较强, 则声音丰满、明亮。如果缺乏中频谐波, 高低两端强, 则声音发飘; 如果仅高次谐波突出,则声音尖而刺耳。人声和常见乐器的频率范围,可参看 [4] 第 24 页图 2.5;钢琴 88 个键的频率,可参看 [13] 第 26–27 页。

乐音的音色还与其时间过程即声音的起振、稳态和衰减的过程**密切相关**。起振是激发弦或空气柱使振动开始的瞬间, 振动逐渐加强但振幅不大且不稳定; 当外力提供的能量等于消耗和辐射的能量时, 振动不再加强而进入稳定状态, 在此阶段振幅达到最大并保持不变。但只有激振力能够持续一段时间,稳态阶段才可能存在, 例如弓弦乐器、管乐器、电子乐器等存在稳态阶段, 而打击乐器则很难形成稳态阶段。衰减阶段是激振力停止以后振幅开始减小直到完全停止振动的阶段。不同的乐器由于激振方式和发音方式不同, 上述三个阶段所占比例也会不同,即使是同一乐器, 当采用不同的演奏方法和演奏力度时产生的时间过程也会不同, 因此发出声音的音色也不同。

大多数乐音在稳态阶段呈现周期性的稳态波形,其频谱是由基频和各次谐波组成的线状频谱, 乐音具有明显的音高感觉。频谱分析表明, 当音调较低时, 谱线之间的间隔较小, 特别是在高次谐波区域,谱线过于密集, 会产生噪声的感觉; 而较高的音调,谱线的间隔较大, 能听到纯净的声音。此外, 音调较低时, 能量最强的频率并不是基频, 只有音调达到一定高度后, 基频才成为最强的频率成分。线状频谱还与演奏力度有很大关系, 一般说来, 演奏力度越大, 则高次谐波越丰富; 音调越高, 则高次泛音频率越高。

由于在稳态阶段乐音的基频和谐频也会产生微小的波动，加上伴随演奏产生的噪声的存在，因此乐音的频谱并非理想的线状频谱，亦即并非精确的数学振动模式的再现。但从美学和心理学角度来说，这不仅会使得声音蒙上一层神秘而奇妙的面纱，而且能够有效地避免听觉疲劳现象的产生。

1843 年，德国物理学家欧姆 (G. S. Ohm, 1789—1854) 指出，一个乐音具有基波和频率为整数倍的谐波，谐波结构决定乐音的音色。人耳听音时就像谐波分析器一样，可把声音的基波和谐波分解，如傅里叶级数。这就是所谓**欧姆听觉定律**。

总之，是傅里叶级数揭示了乐音的本质，为乐音的分析、鉴别，乐器的制作、校音，提供了指南，也从理论上启示人们可以通过适当地组合纯音来创作理想的音乐作品。

人耳就像频谱分析仪

一般而言，频率在 20 Hz 到 20 kHz 之间的振动能够引起人的听觉，音乐的频率范围大约在 40 Hz ～ 10 kHz，声压级范围在 20 ～ 95 dB。人为什么能够感觉到不同声音的不同音色？1863 年，德国物理学家、生理学家亥姆霍兹根据大量听音实验在其名著《论音感》中，提出耳内机构的共振理论。按照这个理论，耳蜗的基底膜各部分对射来声音的不同频率共振，这样就可以说明前面所述的欧姆听觉定律。随着生理学知识和技术的发展，匈牙利生理学家、诺贝尔奖获得者贝开西 (S. Bekesy) 用生理学方法完全验证了亥姆霍兹的主要工作，也指出了其中的不足，1960 年出版了巨著《听觉实验》。现在，人们已经清楚，声音经过外耳道传到中耳，较低的声压被鼓膜放大，过强的声压则被附在听小骨上能对强声起条件反射作用的肌肉减弱，然后传到内耳耳蜗的基底膜上，使基底膜上与声音频率相应的部分产生共振，基底膜上分布着大约 3 万个与末梢神经相连的毛细胞，共振使得毛细胞刺激相应的末梢神经产生电脉冲，再通过神经纤维送到大脑皮层中的听觉中枢，从而使人听到相应频率的声音。对于由多个频率组成的复音，不同频率的声音使基底膜上不同的部分产生共振，从而将基波和各谐波分解。声强越大，末梢神经产生的电脉冲越大，听觉中枢感到的音响越大。因此，耳蜗就像频谱分析仪，使人能够感觉到复音的音色。

对乐音做定量分析

在本书开始我们提到 1987 年 11 月，音乐家黄翔鹏等借助闪光频谱测音仪对贾湖骨笛进行了测音研究。闪光测音仪可以测量 30 ~ 4 kHz 范围内的乐音，它有 12 个可旋转的小圆盘，分别代表 12 个半音，按钢琴键盘的排列方法排列。开机后，每个小圆盘都在旋转，由于盘上绘有几层黑白相间的线条，因此旋转可以看得很清楚。当代表音级 A 的转盘看上去不动了，而其他转盘仍在转动，就意味着所测的音是 A，细观圆盘中几个层次的圆圈转动情况，还可以知道它是哪一个八度内的音。如果所测的音比十二平均律的音稍高或稍低，可以通过"音叉控制盘"调节，范围是 ±50 音分。由这个音叉来控制圆盘转数使之与电动机同步，继而带动可旋转的 12 个小圆盘。如果唱一个音，所有圆盘都不停地转动，说明这个音不是十二平均律的任何一个准确音高，这时可以通过音叉控制盘做细微的调节，直到有一个圆盘停止转动，例如表示升 F (600 音分) 的圆盘不动了，音叉控制盘上记有 +23，就表明该音比升 F 高 23 音分，即 623 音分。如果音叉控制盘上显示是 −23，则该音为 577 音分。因此，这种测音仪的测音精确度可达到 1 音分。

随着数学和科学技术的不断进步，对声音还可以作全面的频谱分析，得到它的每一个组成频率的大小。其原理是，如果已知一个声音强度的时间函数 $f(t)$ 是由若干个泛音组成的，则有

$$f(t) = \sum a_n \cos \omega_n t,$$

其中 a_n 为各个泛音的强度。如果不知道声音是由哪些泛音组成的，可以把 $f(t)$ 分解为一个谱函数 $a(\omega)$，使得

$$f(t) = \int a(\omega) \cos \omega t \mathrm{d}\omega。$$

已知 $a(\omega)$ 求 $f(t)$ 称为声音的合成，已知 $f(t)$ 求 $a(\omega)$ 称为声音的分解。这可以用计算机来做，也可以通过电子线路做到。它在数学上体现为一个重要的数学分支：调和分析；而在技术上体现为滤波、频谱分析仪、调频等。

七、数学给音乐插上了翅膀

过去音乐是个人用来抒发情感或者是人们只能在近距离内享受的艺术。无线电的发明,无线广播、电视、互联网技术的发展,使得美妙的旋律可以在广阔的天际漫游,成为亿万人分享的精神食粮。而所有这一切的背后,都有数学的基础性贡献,可以说是数学给音乐插上了翅膀。

麦克斯韦借助数学预见了电磁波

无线电的发明,归根到底要归功于麦克斯韦关于电磁场理论的研究成果 —— 电磁场动力学理论的建立。19世纪物理学这一最大成就的取得,是麦克斯韦以其深厚的数学功力深刻剖析了法拉第 (Faraday, 1791—1867) 等物理学家的理论并大胆创新的结果。

高斯定理、场强环流定律刻画了静电场的规律;1820年奥斯特 (Oersted, 1777—1851) 发现了电流的磁效应,安培环路定律刻画了磁场强度与传导电流强度之间的关系;1831年法拉第发现了因磁通量变化而产生电流的电磁感应现象，总结出法拉第电磁感应定律。对于前人的实验成果，麦克斯韦从 1855 年到 1865 年的十年间，深入地进行了剖析与思考，通过与流体力学的类比，他在 1856 年以数学形式定量地、清晰准确地完美刻画了法拉第用文字形式表述的一系列实验结果和有关电磁场的思想; 1862 年又提出了变化的磁场能产生涡旋电场 (感生电场), 反过来, 变化的电场中有位移电流, 位移电流也在其周围空间产生磁场的假说, 预言了电磁波的存在, 并且通过计算指出光也是一种电磁波; 1865 年他在论文《电磁场的动力学理论》中, 系统地总结了前人以及他自己的研究成果, 给出了以数学公式刻画电磁场运动变化规律的**麦克斯韦电磁方程组**, 描述了电场、磁场与电荷密度、电流密度之间的关系, 由该方程组直接导出了电场和磁场的波动方程, 从理论上证明了电磁波的传播速度等于光速。这一完整的理论体系, 不仅成为统一解释各种电磁现象以及光现象的理论基础, 而且为进一步的理论发展与实际应用开辟了广阔的道路。

麦克斯韦方程组可以写成积分形式, 也可以写成由下面四个偏微分方程组成的微分形式:

$$\text{div } \boldsymbol{D} = \rho,$$
$$\textbf{rot } \boldsymbol{E} = -\frac{\partial \boldsymbol{B}}{\partial t},$$
$$\text{div } \boldsymbol{B} = 0,$$
$$\textbf{rot } \boldsymbol{H} = \boldsymbol{\delta} + \frac{\partial \boldsymbol{D}}{\partial t}。$$

式中, 电位移矢量 $D = \varepsilon E$, E 为电场强度, ε 是电介质的介电常数 (亦称电容率), ρ 是电荷密度; 磁感应强度 $B = \mu H$, H 为磁场强度, μ 是磁介质的磁导率; 电流密度 $\delta = \gamma E$, γ 是电导率 (电阻率的倒数)。

从真空中的麦克斯韦方程组中消去变量 H, 可以得到真空中电场强度 E 满足的方程

$$\frac{\partial^2 E}{\partial t^2} - \frac{1}{\varepsilon_0 \mu_0} \Delta E = 0 \text{。} \tag{1}$$

这是一个波动方程, 它的解是以速度 $\sqrt{(\varepsilon_0 \mu_0)^{-1}}$ 传播的波。

方程 (1) 中, 真空介电常数 $\varepsilon_0 = 8.85 \times 10^{-12}$ F/m, 真空磁导率 $\mu_0 = 12.57 \times 10^{-7}$ H/m, $\sqrt{(\varepsilon_0 \mu_0)^{-1}} = 2.998 \times 10^8$ m/s 与真空中的光速相等。

同样, 如果消去 E 也可以得到一个关于磁场强度 H 的波动方程

$$\frac{\partial^2 H}{\partial t^2} - \frac{1}{\varepsilon_0 \mu_0} \Delta H = 0 \text{。}$$

由此就从数学上说明了存在电磁波, 并且它在真空中以光速传播。

麦克斯韦的理论一开始受到很多学者的质疑, 但 20 年后, 1886 年 12 月德国物理学家赫兹 (H. Hertz, 1857—1894) 用实验证实了麦克斯韦关于存在电磁波的预言, 进而又证实了电磁波与光波一样, 能产生折射、反射、干涉、偏振、衍射等现象。当他将总结这些成果的论文于 1888 年 1 月公布于世时, 引起了世界科学界的轰动。

麦克斯韦电磁场理论奠定了现代电力工业和无线电工业的基础,首先取得的重大突破是无线电报的发明。1895 年, 年仅 21 岁的意大利发明家马可尼 (Marconi, 1874—1937) 在赫兹实验的基础上成功地进行了约 2 km 距离的无线电报传送实验; 1896 年, 俄国物理学家波波夫 (Попов, 1859—1906) 在物理学年会上表演了传送电磁波的实验, 次年在相隔 5 km 的两艘军舰之间实现了通信。此后, 无线电报、无线电话、无线广播、电视等迅速发展, 也使音乐的远距离传播成为可能。

无线电技术使声音远距离传播成为现实

前已提到, 频率大约在 20 Hz ～ 20 kHz 的声音人耳能够听到, 通常把这一频率范围称为**音频**。声波在空气中传播的速度很慢, 大约 340 m/s, 而且衰减很快。为了将声音远距离传送, 人们先通过话筒把声音变成有相同变化规律的电压, 获得音频信号; 然后将音频信号负载到一个作为 "运载工具" 的高频电磁波 (载波) 上, 这一过程称为调制; 再由天线将调制后的电磁波 (已调波) 发射出去; 在远离发射台处利用天线接收信号, 从中选择所需要接收的已调波, 去掉其中的高频载波, 把它恢复成原来的音频信号 (解调) 即可收听。

平时我们所说某某广播电台的频率就是指该电台的载波频率。载波有三个参数: 振幅、频率、相位, 调制就是用音频信号控制其中的某个参数。调制方式有模拟调制、数字调制等。最基本的是调幅

(AM)、调频 (FM) 和调相 (PM)。

调幅的特点是载波的频率始终不变, 而其振幅随着音频信号的振幅变化。调频的特点是载波的振幅始终不变, 而它的频率则随着音频信号的大小变化。

由于按照国际无线电界的规定, 中波调幅波的频带宽度限制在 9 kHz 以内, 即音频信号的频率只能在 4.5 kHz 以下, 因此收听中波调幅广播尤其是音乐节目时, 高音 (频) 成分感到欠缺, 这是调幅广播的一大弱点。调幅广播的另一不足是抗干扰能力差。因为工业生产和自然界的干扰也会以调幅的形式叠加到载波上, 成为干扰和杂音, 影响收听效果。

调频电台的频带宽度为 200 kHz, 是调幅台的20 多倍。因而在调频广播中, 可将音频信号的频率增加到 15 kHz, 所以调频电台的节目听起来要比调幅广播高音丰富、清晰、逼真。特别是可以收听立体声音乐节目, 这是调幅广播无法比拟的。调频广播的另一个特点是抗干扰能力强, 因为外界的干扰主要是影响载波的振幅, 对频率几乎没有影响, 在接收机中用限幅器就很容易将干扰消除掉。

调频广播的缺点是不能作远距离广播用。这是由于调频电台频带宽度为 200 kHz, 假如仍使用中波频率 ($535 \sim 1605$ kHz), 由 $(1605 - 535) \div 200 = 5.35$ 可知, 这样就只能容纳 5 个电台。因此调频广播使用的是超短波, 我国使用的超短波的频率为 $88 \sim 108$ MHz。因为中、短波是靠地面波和电离层反射来传播的, 特别是借助电离层反射的短波能传遍全世界,所以中、短波能作远距离广播用; 而超短波遇电离层只穿过不反射, 它只能在地面直接传播, 所以不能作远距离广播用。

此外, 调频收音机要比调幅收音机复杂, 成本较高。

总之, 调幅与调频各有优缺点, 谁也不能替代谁。因此既有调幅中、短波广播, 又有调频超短波广播, 它们将长期共存。电视机就是各取所长, 其图像信号采用调幅方式, 伴音信号则采用调频方式。

数字化开创了音乐世界的新篇章

当今世界已进入了数字化社会。数字化和计算机技术的发展, 极大地改变了传统音乐的创作、演奏和传播。所谓数字化就是将复杂多变的信息 (如图片、音乐、影像、波段信息、程序等) 转变为数字数据, 再把它们转变为一系列二进制代码, 引入计算机内部统一处理存储和管理。人们常用的数码相机, 就是将图像转化为数字信息, 实现相片的无纸化信息存储; 数字电视是将电视无线波段信号转化为数字信号, 减少了波形信号的衰减, 实现电视的高清播放; 数字音乐则是用数字格式存储的可以通过网络传输的音乐, 它无论被下载、复制、播放多少遍, 其品质都不会发生变化。

在数字化的发展过程中, 数学起到了关键的基础性作用。17 世纪德国数学家莱布尼茨发明的二进制记数法, 是现代计算机语言的基础。20 世纪电子计算机的发明, 决定性的贡献是数学家冯·诺依曼

(von Neumann, 1903—1957) 在 1945 年 6 月提出了将程序和数据一样存放在计算机内存储器中，并给出了通用电子计算机的基本架构。后来这些思想被称为"冯·诺依曼结构"。近 70 年来，虽然计算机多次更新换代，但仍未脱离冯·诺依曼结构。电子计算机的升级换代有两个主要标志，其一是基本电子元件升级，由电子管到晶体管到集成电路再到大规模集成电路，这主要依靠物理学；其二是程序设计语言的升级，这主要依靠数学：第一代机主要使用二进制表示的机器语言编程；第二代机出现了 ALGOL-60、FORTRAN、COBOL 等高级程序设计语言；第三代机出现人机对话的 BASIC 语言；第四代机进一步使用了 PASCAL、C、VC、VB、C++、Delphi、Java 等高级语言；现在仍在研制第五代智能计算机，数学家们正和其他学科科学家一道，努力攻克模拟人体"右脑"功能的难题。

20 世纪 80 年代初，电脑音乐蓬勃发展，同时也出现了一个难题，就是各生产厂家都按照自己的规格生产数字音乐乐器，如果同时使用几家公司的设备构成一个电脑音乐系统，怎么才能使它们兼容呢？也就是必须解决电子乐器的通信问题。为此，1982 年，国际乐器制造者协会的十几家厂商开会通过了美国 Sequential Circuits 公司的大卫·史密斯提出的方案，定名为 musical instrument digital interface（乐器数字化接口），缩写为 MIDI，次年，MIDI 1.0 版正式制定。从此，设有 MIDI 插座的电子乐器之间，就不再存在"语言障碍"，它们同装上 MIDI 接口的电脑一起,构成了一个电脑音乐大家庭,在这个大家庭里,MIDI 就相当于一种局域网,网络的各个部分通过专用的串行电缆 (MIDI 线) 连接,并以 31.25 kB/s 的速度传送着数字音乐信息。

1984 年,日本 ROLAND 公司又提出了 GS 标准,大大增强了音乐的表现力。1991 年,国际 MIDI 生产者协会在 GS 标准的基础上制定了 GM (通用 MIDI 标准)。GM 标准的提出得到了 Windows 操作系统的支持,使得数字音乐设备之间的信息交流得到了简化,受到全世界数字音乐爱好者的一致好评。随后,YAMAHA 公司又在 GM 标准上于 1994 年推出了自己的 XG 的 MIDI 格式,增加了更多数量的乐器组,扩大了 MIDI 标准定义范围,在专业音乐范围内得到广泛的应用。如今,音乐的创作和传播已进入了电子化、智能化、信息化的新时代。

八、理念和思维视域中的
数学与音乐

从理念和思维的角度看，数学与音乐既有很多相似之处又有很大的差异。数学和音乐都用自己的方式来刻画世界，音乐生动形象，而数学沉默刻板；对美的追求是数学和音乐共有的特征，但在追求的角度、方法和要求上二者又有着很大的不同，音乐注意美的情感展现，数学关注美的内在品格；数学被称为是模式的科学，严谨是数学的显著特征，而音乐似乎是浪漫的，其实，音乐少不了模式与结构；音乐创作和数学创造都需要形象思维，但音乐家是将形象思维直接转化为音符和旋律表现出来，而数学家则往往是通过大跨度的形象思维有所发现，再运用严密的逻辑思维进行严谨的演绎论证，只有经过严格证明是正确的结论，才能作为成果传世。

数学和音乐用不同的方式刻画世界

爱因斯坦 (Einstein, 1879—1955) 说："这个世

界可以由音乐的音符来组成, 也可以用数学公式来组成。" 数学和音乐都用自己的方式来刻画世界。在音乐的音符里流淌着激荡的风雷、潺流的溪水、嘶鸣的战马、欢庆的鼓点、动魄的心声、倾诉的深情, 而数学则是用定理和公式默默地刻画和揭示世界内在的规律。

毕达哥拉斯的 "万物皆数", 既是对已有经验的哲学概括, 也是进一步探索自然规律的内心诉求。但如何用 "数" 来刻画一条直线? 这个基本的问题, 人类就探索了 2000 多年。整数在数轴上只是离散分布的孤立点; 有理数虽然在数轴上是稠密的 (任意两个有理数的算术平均数还是有理数, 因此在任意小的区间内都有有理数), 但数轴上不能用有理数表示的点远远多于能用有理数表示的点; 直到 1872 年前后实数系建立, 1874—1897 年间康托尔 (Cantor, 1845—1918) 创立集合论, 人类才实现了用 "数" 来刻画直线、平面和空间的愿望。这一漫长而艰难的探索过程, 代表性地体现了数学科学的思维方式和数学科学不断追求真理、追求完美的品格。

1902 年爱因斯坦建立了揭示时间与空间深刻联系的狭义相对论, 10 年后他已经形成了广义相对论的核心思想, 但是无法将其表达出来。为此, 他用了三年时间深入学习了黎曼几何与张量分析, 1915 年 11 月 25 日得到了广义协变引力场方程

$$R_{ik} - \frac{1}{2}g_{ik}R = -kT_{ik},$$

揭示了空间、时间和物质之间的联系, 爱因斯坦说:

"由于这组方程，广义相对论作为一种逻辑结构终于大功告成!" 这是数学科学的特点与作用的极好说明。

与数学不同，音乐以旋律、节奏通过演唱、演奏和技巧来刻画自然，抒发情感。中国传统音乐代表作之一的《春江花月夜》，乐曲开始以自由散板节奏，琵琶用弹挑和轮指手法模拟远处传来的鼓声，箫和筝则用轻微的波音模仿回响的钟声，展现出一幅"江楼钟鼓"，夕阳西下，暖风拂水的春江画面。随着乐曲主题高移四度作自由模进 (音高不同地重复)，旋律徐徐上升，形象地描绘出"月上东山"的美景。接着，主题旋律在层层下旋后又回升，"峰回曲水"，水波涟漪。在七小节徐缓的旋律之后，琵琶以四组先紧后宽的音型奏出一段华彩的旋律，犹如"花影层叠"在水中摇曳。接着，琵琶、胡琴在低音区回旋，而洞箫则吹奏出活跃的打音，通过八度跳跃，并运用颤音和清越悠然的泛音奏出飘逸的效果，高低音交响，动与静对比，仿佛身处水浸遥天云弄影的"水云深际"。随后，箫和琵琶在木鱼的伴奏下，吹奏出一段悦耳的递降旋律，好似渔夫一边摇橹，一边唱歌，而其他乐器在每句长音后的齐奏，又如人们在船上应声和唱，把满载而归，"渔歌唱晚"的欢乐表现得淋漓尽致。接着，琵琶以轮指、扫等技法奏出一串由慢渐快顿挫有力的模进音型，乐队全奏，恰似渔舟由远而近"回澜拍岸"的情景。在古筝琶音 (和弦音依次连续奏出) 的牵引下，各种管弦乐器逐渐加入，音乐呈反复式递升，主题旋律由慢而快，由弱到强，生动地勾画出归舟破水、浪花飞溅、橹声欸乃、由远而近的画面,将乐曲推向 "欸乃归舟" 的高潮。此后节奏放缓恢复原速,古筝自低向高划奏,二胡与箫先后奏出悠扬的主旋律,静静地流淌在月光洒满的江面上。

与数学不同,音乐除了刻画自然,更多的是刻画社会,抒发个人、群体或民族的情感。音乐承载历史,如 1939 年冼星海的声乐套曲《黄河大合唱》,1779 年法国大革命爆发前鲁热 · 德 · 利尔 (Rouget de Lisle, 1760—1836) 的《莱茵军团战歌》(《马赛曲》);音乐表达信仰,如欧仁 · 鲍狄埃 (Eugène Edine Pottier, 1816—1887) 作词皮埃尔 · 狄盖特 (Pierre Degeyter, 1848—1932) 作曲的《国际歌》,巴赫的宗教音乐《马太受难曲》;音乐彰显民族风格,如何占豪 (1933—)、陈钢 (1935—) 的小提琴协奏曲《梁祝》、柴可夫斯基的芭蕾舞剧交响乐《天鹅湖》;音乐抒发内心情感,如华彦钧 (1893—1950) 的二胡曲《二泉映月》,肖邦 1831 年得知华沙起义被沙俄血腥镇压后满腔悲愤倾泻而出的钢琴《C 小调练习曲》(革命练习曲)。

数学和音乐对美的不同追求

人们通常认为,音乐有美,音乐家求美;数学有真,数学家求真。其实,既有音乐美,也有数学美,求真与求美是相通的,对美的追求是数学家和音乐家共有的特征,只是有不同的追求角度,采用不同的方法,有不同的要求而已。

数学有美。开普勒 (Kepler, 1571—1630) 认为:

"数学是这个世界之美的原型",美国数学家维纳 (N. Wiener, 1894—1964) 说:"数学实质上是艺术的一种",英国数学家、哲学家罗素 (B. Russell, 1872—1970) 指出:"数学不仅拥有真理,而且还拥有至高的美 —— 一种冷峻而严肃的美,正像雕塑所具有的美一样"。

数学家求真,也求美。美国数学史家、数学家克莱因 (M. Kline, 1908—1992) 认为:"进行数学创造的最主要驱动力是对美的追求。"法国著名数学家庞加莱指出:"美感,对美观与优雅的感觉,在数学的成功中是一个重要的因素。"法国数学家阿达玛 (J. S. Hadamard, 1865—1963) 也说:"数学家的美感犹如一个筛子,没有它的人永远成不了数学家。"德国著名数学家外尔 (H. Weyl, 1885—1955) 曾写道:"我总是尽力将我的工作,将真同美连接起来,但当我不得不取其一时,我常常选择美。"

数学不仅有外在的感性美 (形式美),更有内在的理性美 (科学美)。数学研究,力求得到最一般的模式和最一般的方法;数学表述,力求达到高度简洁且形式完美。简洁美,和谐美,统一美,逻辑美,思辨美,奇异美都是数学美的表现。在联系复指数函数和三角函数的欧拉公式:$e^{i\alpha} = \cos\alpha + i\sin\alpha$ 中,令 $\alpha = \pi$,可以得到被称为数学中最美的公式 $e^{i\pi} + 1 = 0$。它把数学中最重要的五个常数:算术中的 0,1;几何中的 π;代数中的 i;分析中的 e 统一在一个包含加法、乘法及指数演算的等式中,它是逻辑推理和思辨的产物,看起来是那样的 "奇异",又是那样的简洁、

114

和谐。

对称, 给人以美感。音乐作品注意总体结构的对称, 音乐语汇的对称, 再现部对呈示部的回顾, 等等, 音乐家注意的是对称的展示。如 "莫扎特《费加罗的婚礼》中 Cherubino 送给伯爵夫人的情歌, 每一乐章都有反向运动, 每一个轻声的叹息都蕴含着向上的力量。它简单的音质和重复的姿态, 它的跳跃和衰落都暗示出清白与希望的混合, 就如一支轻柔的舞曲, 它可称得上是声音方面古典对称美的典范。" ([18], 158) 数学家也关注对称, 如二项式 $(a+b)^n$ 各项的系数对称, 构成 "杨辉三角"; 正五边形既是轴对称图形, 也是中心对称图形; 等等。但数学家不是停留在发现对称的性质, 更进一步从代数结构研究了 "对称" 的本质, 抽象出 "群" 的概念, 从而更深刻地认识了 "对称"。

古代的数学家、美术家都发现了**黄金分割**之美。音乐家也在自己的作品中, 有意识地或者凭经验运用黄金分割点给人以特殊听觉美感的效果。例如我国京剧二黄声腔, 基本格式是上句较长, 下句较短, 上下两句的分界处正好是两句总长的黄金分割点; 再如聂耳 (1912—1935) 的《义勇军进行曲》, 含前奏共 37 小节, 变化再现的高潮部分 "起来! 起来! 起来!" 开始于 22.75 小节, 是整个乐曲的黄金分割点; 电影《上甘岭》插曲《我的祖国》全曲 19 小节, 副歌开始在第 11 小节处, 也是黄金分割点;《天路》全曲 41 小节, 令人震撼的 "那是一条神奇的天路喂" 开始于黄金分割点第 25 小节处; 不少外国奏鸣曲或赋格曲也是采用黄金分割的结构,巴托克的钢琴曲《小宇宙》全部 153 首,其内部比例和曲式结构含有黄金分割规律的有 123 首,占总曲目的 80.37%。例如其中的《两架钢琴奏鸣曲》第一乐章共 443 小节,乐章的高潮和再现部开始在黄金分割点第 274 小节;《对比三重奏》第一乐章有 93 小节,出现再现部的第 58 小节中点正是黄金分割点。对黄金分割点的关注已纳入音乐作曲的理论。数学家也关注黄金分割,但关注的不止是给人视觉、听觉上的美感,而更多的是黄金分割率 $\varphi = \dfrac{1+\sqrt{5}}{2}$ 的性质。从欧几里得 (Euclid, 约公元前 330 — 前 275) 在《几何原本》中给出中外比的定义,到 19 世纪初得到黄金分割率的准确表达式,数学家们深入研究了它的内在规律和各种表达形式,例如

$$\varphi = 1 + \frac{1}{\varphi}, \quad \varphi^2 - \varphi - 1 = 0, \quad \varphi^n = \varphi^{n-1} + \varphi^{n-2},$$

$$\varphi = \sqrt{1 + \sqrt{1 + \sqrt{1 + \cdots}}}, \quad \varphi = 1 + \cfrac{1}{1 + \cfrac{1}{1 + \cdots}}\,。$$

并且研究了它与其他一些数的关系,例如发现著名的斐波那契数列 $1, 1, 2, 3, 5, 8, 13, 21, 34, \cdots$ 的后项与前项之比,从第 7 项起,就近似等于 1.618,而当项数趋向无穷大时,极限为 φ。

对音乐美的感受取决于对音乐内在关系的体验。音乐创作的一个基本原理是变奏,可以说主旋律和变奏就是音乐形式的全部。音乐家正是通过主旋律及巧妙多样的变奏来展现音乐的美。数学中与此类

似的是变换、映射, 数学家通过变换、映射来揭示数学对象之间的内在联系, 展示数学的美。例如在拓扑学中, 如果两个流形之间可以建立一一对应双向连续的映射, 就说它们是同胚的或拓扑等价的。形象地讲, 两个流形同胚, 就是可以通过弯曲、延展、剪切 (只要最终完全沿着当初剪开的缝隙再重新粘贴起来) 等操作把其中一个变为另一个。同胚的流形可以看作是 "一样的"。例如在拓扑学里三角形、正方形、椭圆与圆盘一样; 圆锥、立方体、椭球与球一样; 带把手的茶杯与汽车内胎一样, 但与球不一样。1904 年, 庞加莱猜测: 任意一个三维的单连通闭流形必与三维球面同胚。这一体现了数学内在美的庞加莱猜想已于 2003 年被俄罗斯数学家佩雷尔曼 (Г. Я. Перельман, 1966—) 严格证明。

音乐少不了模式结构

数学被称为是模式的科学, 严谨是数学的显著特征, 而音乐给人们的印象是浪漫的, 尤其是面对 20 世纪出现的形形色色的音乐流派, 甚至使人感到音乐似乎是随意的。其实, 音乐中少不了模式与结构, 而且有经典的、规范的模式结构。

例如巴赫的《十二平均律钢琴曲集》和《赋格的艺术》是赋格曲的代表作, 所谓**赋格曲** (fugue) 是一种严格运用卡农模仿手法的复调体裁, 有二至六个声部, 常见的是三到四个声部, 由主题、答句、对句及插入句四部分组成, 当一个声部还未结束时, 另一个声部就以模仿的形式开始。

再如**奏鸣曲** (sonata) 是一种由存在一定逻辑关系的乐章组成的音乐体裁; **奏鸣曲式** (sonata form) 是指一种由呈示部、展示部、再现部三部分组成的曲式结构。呈示部呈现乐章的主题, 通常有两个主题, 以不同的旋律、速度和力度达到对比的效果。乐章的主题在展示部进一步发展, 经再现后结束。自 17 世纪至今, 奏鸣曲经历代音乐家发展, 通常由四个乐章组成: 第一乐章快板、奏鸣曲式; 第二乐章慢板、三部曲式; 第三乐章慢板、小步舞曲或谐谑曲, 三部曲式; 第四乐章快板、回旋曲式或回旋奏鸣曲式。也有的奏鸣曲由快板 — 行板 — 快板三个乐章组成。

交响曲 (symphony) 是一种按照奏鸣曲原则构成的管弦乐套曲形式。18 世纪上半叶从意大利歌剧序曲的快 — 慢 — 快结构发展出交响曲, 贝多芬将古典交响曲推向发展的巅峰; 19 世纪浪漫主义时期的交响曲作品, 内容具有文学性、标题性, 曲式结构自由, 乐章数目不定, 庞大的乐队音响华丽, 民族风格浓郁; 20 世纪交响曲, 受各种音乐思潮影响, 构思独特, 风格多样。但古典交响曲通常是由四个乐章组成, 第一乐章为奏鸣曲式, 音乐活泼, 充满戏剧性, 由两个对立主题作呈示、展开、再现, 示意矛盾的起因、发展和暂时的结果; 第二乐章为三段体或变奏曲, 缓慢如歌, 往往表现生活的体验和哲理性的沉思, 是全曲抒情的中心段落; 第三乐章常用小步舞曲或谐谑曲, 体现了矛盾冲突后的闲暇、休整和娱乐; 第四乐章多采用回旋曲式、奏鸣曲式或回旋奏鸣曲式, 内容与矛盾的结果有关, 常表现乐观、肯定的态度和胜利凯歌般的节日欢庆场面。

数学离不开形象思维

形象思维是音乐的显著特征, 而数学教材中的公理体系、演绎推理, 给人们的印象好像数学就像一个上紧发条滴答作响的机械体系, 其实透过数学定理及其证明的表象, 深入追溯到数学思想的本原, 就会深深感受到, 虽然严谨的逻辑思维是数学的显著特征, 但数学创造离不开抽象思维和形象思维, 离不开直觉、联想、类比、灵感、顿悟。没有抽象思维和形象思维就没有数学。事实上, 光凭逻辑是不能使一个人产生新思想的, 正如光凭语法不能激起诗意, 光凭和声理论不能产生交响乐一样。

几何中的 "点" 有位置而没有大小, "线" 有长度而没有宽度, "面" 有大小而没有厚度; 从现实生活中的一维直线、二维平面、三维空间到抽象的 n 维空间、无穷维空间; 从看得见的曲线、曲面到抽象的流形; 从老子 (公元前 571 — 前 471) 在《道德经》中所写 "道生一, 一生二, 二生三, 三生万物", 到战国时期 "辩者" 惠施 (约公元前 370 — 前 310) "一尺之棰, 日取其半, 万世不竭。" (《庄子·天下篇》) 的精彩论述, 无论是生生不息直至无穷, 还是取之又取直至 $\to 0$ 而 $\neq 0$, 需要的是形象思维。

关于有无穷多个素数的证明早在欧几里得的《几何原本》中就有, 他用的是反证法。的确, 如果素数只有有限多个, 而任意大的数都可以分解为素数的乘积, 这怎么可能呢? 欧几里得巧妙地将这 "所有的" 有限多个素数相乘再加上 1, 这个新数不可能被已有素数中的任何一个整除, 从而导出了矛盾。有意思的是, 后来法国数学家费马 (P. Fermat, 1601—1665) 给出了形如

$$F_n = 2^{2^n} + 1, \quad n = 0, 1, 2, \cdots$$

的所谓费马数, 当它为素数时, 称为费马素数, 如 $F_0 = 3$, $F_1 = 5$ 等。美籍匈牙利数学家波里亚 (G. Pòlya, 1887—1985) 利用费马数巧妙地证明了素数有无穷多个, 因为容易证明, 任意两个费马数都不可能有公因数, 即含有不同的素数, 而费马数有无穷多个, 所以素数也就有无穷多个。与欧几里得的证明不同的是, 波里亚直观形象地告诉人们, 在费马数中就包含了无穷多个素数。更令人想不到的是, 费马数还与圆规直尺作图有关。大家知道, 高斯 (Gauss, 1777—1855) 19 岁时解决了二千多年来无人攻克的难题, 用圆规和没有刻度的直尺作出了圆内接正 17 边形, 五年后他又在《算术研究》中给出了一个定理: 对奇数 n, 正 n 边形能用直尺和圆规作出来的充分必要条件是: n 为一个费马素数, 或者是若干个不同的费马素数的乘积。像这样的发现和证明没有形象思维是绝不可能的。

联想和类比是数学发现的重要思想方法。通过联想, 笛卡儿 (Descartes, 1596—1650) 创立了坐标法, 将点和数、曲线和方程、形和数联系起来, 开创了变量数学的新时代; 通过类比, 欧拉得到了人们难

以想象的结果 (参看 [19] 306, 或本丛书第二辑之《从欧拉的数学直觉谈起》):

$$\frac{1}{1^2} + \frac{1}{2^2} + \cdots + \frac{1}{n^2} + \cdots = \frac{\pi^2}{6}。$$

灵感、顿悟在数学发现中是常见的。以证明费马大定理而享誉世界的英国数学家安德鲁·怀尔斯 (A. Wiles, 1953—)，经过 7 年的努力于 1993 年得到了费马大定理的一个证明，但在正式发表前被指出其中有一个重要的漏洞，为了弥补这个漏洞，他花了一年的时间想尽了各种办法都失败了。就在眼看绝望的时候，1994 年 9 月 19 日早晨他突然顿悟，只需将单独都不能解决问题的两种方法结合起来就可以互相补足，从而完美地解决了问题 (参看 [19] 268-269, 或本丛书第一辑之《费马大定理的证明与启示》)。高斯也曾在解释自己成功地解决了一个多年未能证明的理论时说: **"好像灯光忽然闪亮, 这个谜就一下子解开了。我不能说什么是这条连接线, 它将我从前所知道的与让我可能成功的东西连接起来。"**

让左右脑协调发展

人的思维从心理学的角度看，一类是演绎思维，另一类是归纳思维。前者体现了思维的条理化、系统化，是收敛性思维；后者则体现了直觉性、发散性，是一种创造性思维。前者在推理、论证中大有用处，而后者在探索、发现中不可或缺。这两种思维方式，是人的左、右脑不同功能的反映。美国心理生物学家斯伯里博士 (R. W. Sperry, 1913—1994) 通过著名的割裂脑实验，证实了大脑不对称性的"左右脑分工理论"，因此荣获 1981 年诺贝尔生理学或医学奖。

人的左脑主要是语言的、分析的、数理的和逻辑推理的功能，其运行犹如串行的、继时的信息处理，是因果式的思考方式。数学的符号化、公理化，严密的逻辑论证、演绎推理，是左脑的用武之地。但是，左脑虽然能处理抽象领域和逻辑领域里的问题，却难以处理形象领域和非逻辑领域里的问题；能在语言文字、符号数字所及的范围大显神通，却不能处理尚未能用符号、语言表达而只能依赖直觉的问题。脑科学的研究证明，左脑的许多功能是与左脑组织的一定部位联系着的，而这些部位是相互隔开，易于划分的，这一生理结构上的特点决定了左脑思维的特点。

人的右脑主要是空间的、直觉的、整体的功能，其功能的划分不如左脑精细，右脑的广阔区域参加完成属于其功能范围的思维活动，其运行犹如并行的、同时的信息处理。右脑的记忆容量大约是左脑的 100 万倍。右脑具有形象性、非逻辑性，有很强的识别能力和"纵观全局"的本领，能根据一些支离破碎、互不连贯的资料，大胆地猜测、跳跃式地前进，达到直觉的结论，在音乐、艺术、感知抽象图形等领域能大显神通。右脑抗干扰，能在各种状态甚至是在睡眠状态下不停地工作，是直觉、想象、灵感、顿悟等创造性思维的发源地。

数学和音乐正是左脑和右脑分别大显神通的用

武之地,但也如我们前面所分析介绍的那样,数学和音乐又是相通的。

"音乐是心灵的算术运动"(莱布尼茨),一些音乐家有数学家的气质与素养,如中国的朱载堉;再如波兰的肖邦,他很注意乐谱的数学规则、形式和结构,有位专家称肖邦的乐谱"**具有乐谱语言的数学特征**"。1722 年"和声之父"法国作曲家、理论家拉莫 (J. P. Rameau, 1683—1764) 在其《和声学自然原理论述》的前言中写道:"**音乐是一种科学,需要有确切的规则,这些规则应从明显的原理中提取,并且这些原则如无数学的帮助,我们就不可能真正了解**。"他还说:"**我必须承认,虽然在我相当长时期的实践活动中,我获得许多经验,但是只有数学能帮助我发展我的思想,照亮我甚至没有发现原来是黑暗的地方**。"江苏师范大学前音乐系主任费承铿教授 (1937—2013) 也爱好数学。1998 年音乐专业招生加试期间,他很感慨地说:过去我们学习音乐的学生,其他功课也不差,只是更加喜爱音乐。不像现在有些学生,是因为其他功课学不好才突击学了一点音乐,以为音乐好考才来报考的。前几年我和他讨论数学与音乐的关系,他说,数学好对音乐创作是有帮助的。他还告诉我,多年前他曾将圆周率 π 的前几位数字编成了乐曲,很好记,并随手写下:$3.1415926535897932384626433, 8 = \dot{1}, 9 = \dot{2}$,乐谱为

<u>3</u>1　<u>4</u>1　5　—|<u>2</u>2　<u>6</u>5　3　—|<u>5</u>1̇　<u>2</u>7　2̇　3|<u>2</u>3
<u>1</u>4̇　6　2|6　<u>4</u>3　3　—|。

也有不少数学家具有音乐家的气质与素养。笛卡儿写过《音乐概要》，他在 4 个同心圆内标明七声音阶各个音级的关系，其中有两组音 re, la, mi 和 fa, do, sol 位于同一条半径上，由里向外分布，都是五度音程；欧拉写过论述和音的论文；很多数学家研究过声学；巴赫向约翰·伯努利 (Johann Bernoulli) 介绍十二平均律，伯努利画了一条对数螺线 $\rho = e^{a\varphi}$，在上面标了 12 个半音，对巴赫说："从上一个音到下一个音，只要将这条螺旋线旋转一下，使得第一个音落在 x 轴上，其他的音会自然落在相应位置上。简直就是一个音乐计算器！"奥地利物理学家玻尔兹曼 (L. Boltzmann, 1844—1906) 曾通过想象浪漫的交响乐来解释麦克斯韦的推理风格，因为麦克斯韦就生活在 19 世纪音乐的浪漫主义时期，他用一系列联系电磁现象的方程导出在空间中看不见的"电磁波"，折射出他的形象思维和浪漫精神。

一个富有启发性的事实是，历史上很多著名的数学家大学时的专业并非数学而是人文社会科学，费马是法学，莱布尼茨是哲学，欧拉是神学，拉格朗日是法学，魏尔斯特拉斯 (Weierstrass, 1815—1897) 是法律和商学，黎曼是神学和哲学，高斯在大学一年级时对选择语言学还是数学作为自己的专业方向尚存犹豫，人文社会科学的熏陶，形象思维的培养，对他们后来的创造性工作不能说没有帮助。

美国音乐家、音乐教育家齐佩尔 (H. Zipper, 1904—1997) 博士，在第二次世界大战前的一场慈善音乐会上，问担任小提琴演奏的爱因斯坦："音乐对

你有什么意义? 有什么重要性?" 爱因斯坦回答说:
"如果我在早年没有接受音乐教育的话, 那么, 我无论在什么事业上都将一事无成"。(《音乐学习与研究》1985 年第 3 期) 爱因斯坦 4 岁多还不大会说话,
上小学后成绩平平, 该校的训导主任甚至对他父亲
断言: "你的儿子将一事无成"。爱因斯坦的母亲波
琳爱好音乐, 喜爱钢琴艺术。爱因斯坦三四岁的时
候, 总喜欢悄悄地躲在楼梯的暗处, 聆听母亲弹奏的
悠悠琴声。虽然当时他的语言能力不好, 但钢琴艺术
在不知不觉中提高了他的思维能力。他从六岁开始
学习小提琴, 左手的训练, 加强了右脑的活动能力,
开阔了想象力; 而对小提琴乐曲内涵的领悟, 又增添
了他童年的遐想。正是在潜移默化中他的思维能力、
想象能力都得到了提高。爱因斯坦说: **"想象力比知识更重要"**, **"我首先是从直觉发现光学中的运动的,
而音乐又是产生这种直觉的推动力量。"** 我国著名
科学家钱学森 (1911—2009) 也曾说, 正是音乐 "艺
术里所包含的诗情画意和对于人生的深刻理解, 使
我丰富了对世界的认识, 学会了艺术的广阔思维方
法。"(2012. 2. 6.《解放日报》)

　　应当注意解决的问题是, 在我国学校教育和家
庭教育中, 存在两种偏向, 甚至出现两种极端。有的
是从小就偏数理轻文艺, 且只注重演绎推理而忽视
形象思维能力的培养; 有的则是从小就偏文艺轻数
理, 放松了逻辑推理能力的训练和提高, 害怕甚至厌
恶数学。科学家和艺术家们的成功启示我们, 在成长
过程中, 应当注意让自己的左、右脑协调发展, 同时

注意扬己之长, 补己之短, 这样才能使我们更聪明、更能干。而注意培养对数学和音乐的兴趣, 则是帮助我们协调发展左右脑的有效途径。

英国数学家西尔维斯特 (J. J. Sylvester, 1814—1897) 在一篇论述牛顿的文章中说得好: "音乐不可以被描绘成感觉的数学而数学被描绘成推理的音乐吗? 这样, 音乐家感受数学, 而数学家思考音乐 —— 音乐是梦, 数学是工作的生命 —— 各自从另一个世界中获得它的完美, 当人的智慧提升到它完满的形式时, 它将在一些未来的莫扎特 —— 狄利克雷或贝多芬 —— 高斯中发出光芒。" ([18] 26)

参 考 文 献

[1] 童忠良, 王忠人, 王斌清. 音乐与数学. 北京: 人民音乐出版社, 1993.

[2] David Wright. Mathematics and Music. Mathematical World 28. Providence, R. I.: American Mathematical Society, 2009.

[3] David J. Benson. Music: A Mathematical Offering, Cambridge: Cambridge University Press, 2007.

[4] 武际可. 音乐中的科学. 北京: 高等教育出版社, 2012.

[5] 伊鸿书. 中国古代音乐史. 北京: 中央音乐学院出版社, 2011.

[6] 戴念祖. 朱载堉　明代的科学和艺术巨星. 修订本. 北京: 人民出版社, 2011.

[7] Joseph Needhom. Science and Civilization in China, Vol. 4, part 1, Physics, Cambridge Uni-

versity Press, 1962 (中译本, 中国科学技术史. 第四卷第一分册. 陆学善, 王冰, 等译. 北京: 科学出版社, 上海: 上海古籍出版社, 2003.).

[8] 杨九华. 音乐考研复习精要. 西方音乐史. 2 版. 长沙: 湖南文艺出版社, 2006.

[9] 李应华. 西方音乐史略. 北京: 人民音乐出版社, 1988.

[10] 李重光. 新编通俗基本乐理. 长沙: 湖南文艺出版社, 2004.

[11] 李重光. 五线谱入门. 北京: 人民音乐出版社, 2008.

[12] 马大猷. 现代声学理论基础. 北京: 科学出版社, 2004.

[13] 陈小平. 声音与人耳听觉. 北京: 中国广播电视出版社, 2006.

[14] 程守洙, 江之永. 普通物理学. 4 版. 北京: 高等教育出版社, 1982.

[15] 周明儒. 数学物理方法. 北京: 高等教育出版社, 2008.

[16] M. 克莱因. 西方文化中的数学. 张祖贵, 译. 上海: 复旦大学出版社, 2005.

[17] 亨德里克·威廉·房龙. 音乐的故事. 寿韶峰, 译. 长春: 吉林出版集团有限责任公司, 2010.

[18] 爱德华·罗特斯坦. 心灵的标符 —— 音乐与数

学的内在生命. 李晓东, 译. 长春: 吉林人民出版社, 2001.

[19] 周明儒. 文科高等数学基础教程. 2 版. 北京: 高等教育出版社, 2009.

郑重声明

高等教育出版社依法对本书享有专有出版权。任何未经许可的复制、销售行为均违反《中华人民共和国著作权法》，其行为人将承担相应的民事责任和行政责任；构成犯罪的，将被依法追究刑事责任。为了维护市场秩序，保护读者的合法权益，避免读者误用盗版书造成不良后果，我社将配合行政执法部门和司法机关对违法犯罪的单位和个人进行严厉打击。社会各界人士如发现上述侵权行为，希望及时举报，我社将奖励举报有功人员。

反盗版举报电话　　（010）58581999　58582371
反盗版举报邮箱　　dd@hep.com.cn
通信地址　　北京市西城区德外大街4号
　　　　　　高等教育出版社法律事务部
邮政编码　　100120

读者意见反馈

为收集对教材的意见建议，进一步完善教材编写并做好服务工作，读者可将对本教材的意见建议通过如下渠道反馈至我社。

咨询电话　　400-810-0598
反馈邮箱　　hepsci@pub.hep.cn
通信地址　　北京市朝阳区惠新东街4号富盛大厦1座
　　　　　　高等教育出版社理科事业部
邮政编码　　100029